D1634310

| Mięso

| Dominika
| Dymińska

WYDAWNICTWO
KRYTYKI
POLITYCZNEJ

podobno smutek uszlachetnia, więc postanowiłam zostać najpiękniejszym chłopcem na świecie, tak bardzo zmęczonym od rozumienia

I

Nie piszę o tym, o czym nie mogę mówić. Niektóre słowa nie przechodzą mi przez gardło. Niektóre słowa są zbyt poważne, żeby je wymawiać, można je tylko obracać w ustach i potem wypluwać ich przeżute kęsy. Wolałabym nie dzielić słów na wymawialne i nieme. Wolałabym już bardziej nie reżyserować rzeczywistości. Ktoś powiedział mi kiedyś, że poza językiem też jest życie, ale ja myślę, że to nieprawda. Ludzie mówią różne rzeczy, ale zawsze myślą to samo. A słowa znaczą dokładnie tyle, ile znaczą.

2

◼

Z trudem przyzwyczajam się do koszmarów. Wszystkie moje koszmary zaczynają się identycznie – od braku akceptacji. Zaczynają się na przykład tak, że mam niecałe dziesięć lat, jestem gruba, brzydka i dzieci się ze mnie śmieją. Kiedy pielęgniarka w szkole mierzy nas i waży, nigdy nie mówi mojej wagi na głos. Nie wypowiada tej liczby. Nienawidzę siebie, a najbardziej nienawidzę w sobie tego, że nie umiem się powstrzymać od zjedzenia tabliczki czekolady albo pudelka pralinek. Albo czterech kawałków boczku z grilla. Zawsze jem tyle, aż poczuję w żołądku bolesne uczucie pełności. Potem muszę leżeć. Leżeć. Czasami staję na wadze, żeby przekonać się, jak bardzo jest ze mną źle. Że jest za każdym razem więcej. Czasami oglądam się godzinami nago w lustrze, wciągając brzuch aż do bólu, żeby zobaczyć żebra albo jakiekolwiek kości. Cokolwiek ładnego. Później dociera do mnie, że nic takiego w lustrze nie znajdę. Czasem porzucam moje ciało na trochę. Muszę jednak do niego wracać, a każdy kolejny powrót jest gorszy od poprzedniego. Raczej nie myślę, że ktokolwiek mógłby mnie kochać. Może oprócz rodziców. Ale miłość rodzicielska to układ inercjalny. A ja chcę uczuć z zewnątrz. Uczuć. W kwestii wrażeń byłam całkiem niezależna już w wieku ośmiu lat.

3

Jedyna przyjemność, jaką mam z mojego ciała, to masturbacja. Pamiętam, jak się tego nauczyłam. Pożyczałam od mamy urządzenie do masażu przeciwko cellulitowi. Na początku używałam go zgodnie z przeznaczeniem. W pewnej chwili instynktownie położyłam wibrującą głowicę między nogami. Poczułam coś dziwnego, więc natychmiast ją cofnęłam, ale później dotarło do mnie, że to było przyjemne uczucie. Z czasem opracowałam doskonałą technikę. Przykładałam urządzenie do krocza i unosiłam biodra, napinając mięśnie ud. Po kilku sekundach czułam rozpływające się w podbrzuszu pulsowanie. Czekałam chwilę i powtarzałam wszystko parę razy. To były jedyne momenty, w których chciałam być w swoim ciele. Czasami masturbowałam się, leżąc w jednym łóżku z mamą.

Nakrywałam się kołdrą po samą szyję. Kiedy telewizor był włączony, nie było słychać wibracji. Urządzenie w końcu się zepsuło, a ja rozpaczliwie szukałam innej metody. Owijałam ręcznikiem elektryczną szczoteczkę do zębów. Efekt był podobny. Jeśli nie lepszy. Potem dowiedziałam się, że ta nieskomplikowana czynność ma skomplikowaną nazwę. Przeczytałam o tym w kolorowym piśmie. Lubię kolorowe pisma. Nienawidzę tylko pięknych zdjęć pięknych kobiet w tych pismach. Kiedyś trafiłam na artykuł o Kamasutrze. Zajmował dwie strony. Były na nich rysunki przedstawiające kontury nagich ludzi. Na każdym z rysunków była kobieta z mężczyzną. Czytałam podpisy pod obrazkami. Wszystkie zdania czytałam po dwa razy. Dotarło do mnie wtedy, o co chodzi w seksie. Ale nie mogłam w to uwierzyć. Wydawało mi się to fizycznie niemożliwe do zrealizowania. Obrzydliwe. Moje dziesięcioletnie tłuste ciało broniło się przed projekcją. Nie pamiętam, kiedy zrozumiałam, że seks naprawdę tak wygląda. Ale niewątpliwie zrozumiałam. Może nawet zbyt dokładnie. Czytałam wszystkie artykuły o seksie, na jakie trafiałam w kobiecych magazynach. Wiedziałam o nim wszystko, co dało się przeczytać. Trochę później zaczęłam wpisywać „seks" w wyszukiwarkę. Wpisywałam też „cipka". Oglądałam setki zdjęć w Internecie. Przerażała mnie myśl, że w moim ciele jest taka ogromna przepaść. I że nawet nie umiem jej znaleźć.

Przepaść odkryłam w zimowy poranek, kiedy leżałam w łóżku z gorączką. Znalazłam w domu stary podręcznik biologii. W środku był rysunek żeńskich narządów płciowych. Szukałam u siebie wszystkiego po kolei. Pierwszy raz widziałam łechtaczkę. Wsunęłam termometr w cipkę. Wszedł prawie cały. Byłam zachwycona. Nigdy wcześniej nie dowiedziałam się o sobie tylu rzeczy jednocześnie.

4

Zawsze lubiłam patrzeć na ludzi. Obserwuję ich z dołu, z jedynej osiągalnej dla dziecka perspektywy. Za każdym razem, kiedy moje nieruchome spojrzenie spotyka się ze spojrzeniem obserwowanej przeze mnie osoby, ta osoba uśmiecha się do mnie. To upokarzające uśmiechy. Bo jak nie uśmiechnąć się do takiego rozczulającego, tłuściutkiego dziecka ze zrośniętymi brwiami? No jak? Żeby się nie uśmiechnąć, trzeba być innym dzieckiem. Zwinnym i zgrabnym. Podobnym do wszystkich dzieci. Taki status upoważnia do patrzenia na grube dziecko z pogardą. Bo jak nie gardzić brakiem silnej woli? Trzeba gardzić. Szczególnie często przyglądam się pięknym kobietom i przystojnym mężczyznom. Zazdroszczę kobietom mężczyzn. Marzę o bliskości. Kiedy przytulam się do mamy, wyobrażam sobie, że przytulam się do mężczyzny. Obserwując mężczyzn, zastanawiam się, czy widzą we mnie kobietę. Wyobrażam sobie, że mnie pragną i nie dają tego po sobie poznać. Ale oni uśmiechają się tym samym pobłażliwym uśmiechem. Współczującym uśmiechem. Empatycznym uśmiechem. Czasami marzę, żeby ktoś mnie zgwałcił. Chociaż wątpię w to, że ktokolwiek mógłby chcieć. Sześćdziesiąt pięć kilogramów trzynastoletniego tłuszczu i kości. Dołeczki w policzkach, drugi podbródek, okrągła buzia. Buzia. To nie jest twarz. Ramiona nie są ramionami, ręce pokrywają ciemne, mocne włosy, podobne trochę do rzadkiej sierści. Bardzo chcę je golić, ale mama mówi mi, że odrosną jeszcze grubsze. Jeszcze gorsze. Brzuch nie jest brzuchem, jest tłuszczem, który zwija się w cztery fałdy podczas siadania. Czasem w pięć. Kiedy siedzę, brzuch opiera się o moje uda. Opiera się o moje ogromne uda. Dłonie mam pulchne, palce krótkie i nienaturalnie sztywne w stawach. Nie potrafię się nimi sprawnie posługiwać. Włosy mam długie i proste, z przedziałkiem na środku głowy. Czasami nawet mi się podobają. Zdarza mi się siedzieć godzinę przed lustrem, szczotkując je, i myśleć, że są naprawdę piękne. Poza tym nie ma we mnie nic pięknego. Naprawdę rozpaczliwie próbuję coś takiego znaleźć. Zazdroszczę wyglądu nawet własnej matce. Właściwie nic dziwnego, jest bardzo atrakcyjna. Waży piętnaście kilogramów mniej ode mnie. Przez to jeszcze bardziej się siebie wstydzę. Żałuję, że nie mam miękkiej, okrągłej matki chodzącej po domu w kapciach i flanelowej spódnicy. Żałuję, że mam zgrabną, piękną matkę z pięknie wystającymi obojczykami. Kształt obojczyka jest odbiciem jej wnętrza. Często myślę, że matka jest kością w środku. Że jest obciągniętą skórą kością wypełnioną powietrzem i tkanką łączną. Zdecydowanie wolę ojca. Bardziej go lubię.

5

Rodzice się rozwodzą. Mam siedem lat. To jest po prostu tak, że tata się pakuje i gdzieś jedzie. Żegna się ze mną i tłumaczy mi, że będzie mieszkał w innym mieszkaniu i że będzie mnie często do siebie zabierał. Pytam mamę, o co chodzi, a ona mówi, że już się z tatą nie kochają. Aha, powiedziałam. Zrozumiałam i wcale nie płakałam. Z ojcem rzeczywiście widuję się często. We wtorki, czwartki i niedziele o 16.00. Czasami nocuję u niego w weekendy i oglądamy w telewizji horrory. Tata rzadko mnie przytula. Głaszcze mnie wtedy po plecach.

6

Mama miała potem nowego chłopaka. Zwykle go lubiłam, ale nie lubiłam go, kiedy zwracał mi uwagę. A robił to często. Właściwie często go nie lubiłam. Mama dużo na niego krzyczała i on krzyczał na nią. Porozumiewali się tylko w ten sposób. Ewentualnie milczeli. Zanim chłopak mamy się do nas wprowadził, krzyczeli na siebie przez telefon. Kiedy zamieszkał u nas, mogli krzyczeć, patrząc sobie w oczy. Ich głośna miłość trwała trzy lata. Potem się skończyła. Jednego wieczoru, to było, kiedy się kąpałam, drzwi od łazienki zostawiłam otwarte, moja mama weszła do łazienki z oczami opuchniętymi od płaczu i jej oczy były opuchnięte inaczej niż zwykle. Były opuchnięte ulgą. Spytała, wiesz co się stało. Powiedziałam, zerwałaś z nim. Skąd wiesz, spytała. Nie wiem, powiedziałam. Następnego dnia rano mama i on siedzieli razem w kuchni, mama miała na sobie dres, w którym nigdy wcześniej jej nie widziałam, i nadal jej twarz była spuchnięta, i nadal jej twarz była piękna. On był smutny. Ale nie bardzo. Pili kawę. Nie wiem, jak się pożegnali i czy w ogóle, ale kiedy wychodził, brama skrzypiała głośniej niż zwykle.

7

Mama miała potem męża. Jechałyśmy razem samochodem, ona powiedziała, wiesz co. Ja powiedziałam, nie wiem. Ona powiedziała, będę z kimś. Ja powiedziałam, jak to. Konrad wprowadził się do nas trzy dni później. Był łysy, gruby i chodził we flanelowych koszulach w kratę. Czasem zakładał flanelową kamizelkę w kratę na flanelową koszulę w kratę. Nosił też za krótkie spodnie. Nie wiedziałam, jak się do niego zwracać, więc unikałam osobowych form. Z dużym trudem, ale w końcu nauczyłam się mówić do niego po imieniu. Pytania zadawałam mu przez mamę. Albo po prostu pytałam mamę. Irytował mnie trochę, ale nawet go polubiłam. Irytował mnie szczególnie jego sposób mówienia. Słowa, których używał, i składnia jego zdań. Najpierw znienawidziłam jego język. Resztę znienawidziłam potem.

8

Siedzimy w kuchni. Konrad zamiata rzęsy, matka bierze chleb i rwie go na kawałki. Chleb kruszy się i okruchy kleją rzęsy w jedno gęste ciasto. Ja mówię, nie uwierzycie, co śniło mi się dziś w nocy. Spotkałam człowieka, nie wiem, kim był, podał mi rękę, a ja poczułam ciężar, spytałam, czemu masz takie ciężkie dłonie, twarde, jakby były ze szkła, ale nieprzezroczyste, czemu twoje ruchy, zamiast składać w całość, dzielą cię na nieskończenie wiele cząstek, wierzycie w to, przecież nawet we śnie bym tak nie powiedziała.

9

Filmy, które oglądam, książki, które czytam, ludzie, których spotykam – to wszystko, co mam wspólnego z życiem. Od rana do wieczora, od poniedziałku do piątku i w weekendy, właściwie szczególnie w weekendy, obserwuję życie i staram się zapamiętywać jego przejawy na tyle dokładnie, żeby móc je później odtworzyć. Chociaż i tak czasami myślę, że nie da się mieć do życia jakiejkolwiek pamięci. Czasami myślę też zupełnie inne rzeczy. Żadna wrażliwość nie zwalnia mnie z myślenia, że moje życie jest sumą bezskutecznych zainteresowań, a życie po życiu będzie pochwałą niekonsekwencji następstw. Ciepłe i zimne pory, niedokładna przemienność, przestępność. Pomimo cyklicznych początków brakuje mi punktów odniesienia, wszystko jest takie trudne. Rozgrywam świat w rytmie opadania ironii, w ramach wstydliwych zaprzeczeń. Miłość do siły jest pionową kreską tego szkicu, a to, o czym myślę, to były kłęby i chmury, powolne zapadanie się w jesień, w niechęć, we własny miąższ, słodkawy i mdły.

10

Zakładam profil na portalu społecznościowym. Piszę dużo o sobie. Chyba wszystko, co wiem. Specjalnie robię sobie zdjęcia. Na żadnym nie ma twarzy w całości. Specjalnie się do tych sesji ubieram i maluję. Poprawiam zdjęcia w programie do obróbki zdjęć. Trochę rozmazuję, żeby wyglądać szczuplej. Bardzo dbam o mój profil i regularnie go aktualizuję. Zapraszam też bardzo dużo znajomych. Znajomych, czyli ludzi, których spotykam codziennie w gimnazjum, których znam z widzenia lub ze słyszenia. Całe dnie spędzam, przeglądając ich profile i czytając różne fora. Właściwie tylko tym się zajmuję poza chodzeniem do szkoły. Chociaż ostatnio i tak przestałam bywać w niej regularnie. Nie mogę słuchać opowieści o imprezach i wyjściach do kina. Nie chcę nic o tym wiedzieć. Nikt nigdzie mnie nie zaprasza, bo wszyscy wiedzą z góry, że odmówię. Zawsze odmawiam. Rodzice odmawiają za mnie. Mama odwozi mnie do szkoły oddalonej o 400 m od domu, z powrotem zabiera mnie dziadek.

II

Oglądam też dużo seriali. Każdy w domu ogląda inny serial, a niektóre oglądamy razem. W serialach są piękne i dobre kobiety i przystojni mężczyźni, którzy ciągle pracują, żeby przynosić pieniądze pięknym i dobrym kobietom. Kobiety mają świetne dzieci, które wprawdzie czasem sprawiają problemy, ale tak naprawdę są grzeczne i kochane. Na ciałach kobiet nie ma śladów ciąży ani żadnego innego nieszczęścia, ciała kobiet są idealne. Starsi ludzie martwią się o młodszych, a młodzi ludzie są wdzięczni starszym za troskę. Właściwie poza tym wszystko w serialach jest tak jak w życiu. Moja mama mówi, że najbardziej ją denerwuje, kiedy pory roku na ekranie nie zgadzają się z tymi za oknem. Mówi, po co tak kłamać.

12

Jedyny czas, który spędzałam bez rodziców, to szkolne wycieczki. Otaczała mnie wtedy grupa ładnych dzieci, dziewczynki całowały chłopców w policzki, chłopcy przemykali się w nocy do pokojów dziewczynek i w ogóle dużo się działo. Do mojego pokoju nigdy nikt się nie przemykał, ja natomiast lubiłam przychodzić do innych, żeby poobserwować. Nigdy się nie odzywałam, chyba że ktoś pierwszy odezwał się do mnie. Za to śmiałam się za każdym razem, gdy inni się śmiali. Na szkolnych wycieczkach zawsze były też dyskoteki. Tego nienawidziłam najbardziej. Chłopcy nie prosili mnie do tańca przy wolnych piosenkach. Zawsze siedziałam na krześle i miałam nadzieję, że ktoś podejdzie. Ale rzadko ktokolwiek podchodził. Tylko na jednej szkolnej dyskotece dobrze się bawiłam. Założyłam wtedy obcisłe dżinsy dzwony i koszulkę bez rękawów. Musiałam wyglądać koszmarnie, ale czułam się wtedy seksownie. Czułam się jak seksowna jedenastoletnia dziewczynka. Prawdopodobnie dlatego, że w pokoju nie miałam lustra. Na imprezie wszyscy chłopcy prosili mnie do tańca. Nawet ci najładniejsi i najbardziej popularni. Liczyłam. Podeszło do mnie dwunastu. Czułam się szczęśliwa. Wtedy byłam pewna, że robią to tak po prostu. Później jednak zdałam sobie sprawę, że musiało o coś chodzić. O jakiś zakład. Albo coś podobnego.

Żeby unikać szkoły, ciągle udaję chorą. Zawsze zaczynam tak samo: około południa mówię, że źle się czuję. Wieczorem maluję sobie różem rumieńce na policzkach i narzekam, że w domu jest zimno. Mama od razu zauważa wypieki na twarzy i każe mi mierzyć temperaturę. Zawsze tym samym termometrem. Wystarczy stuknąć w niego palcem od góry, by słupek rtęci podskoczył. Podczas pomiaru zwykle wspominam, jaki ważny dzień w szkole czeka mnie jutro, żeby mama nic nie podejrzewała. Później okazuje się, że mam gorączkę. Zwykle zostaję w domu na tydzień. Idę do szkoły na parę dni i znów pozoruję chorobę. Uwielbiam siedzieć sama i snuć się godzinami w szlafroku. Jeden dzień jest podobny do drugiego, mój nastrój nie zmienia się. Internet nie przestaje być fascynującym źródłem energii życiowej. Energii do przelewania się z kąta w kąt.

13

Jest 13 grudnia 2006 roku. Środek grudnia. Mam 15 lat. Od niedawna mam bezprzewodowy Internet. Od trzech tygodni. Świat istnieje dzięki złączu wi-fi. To taka biała kosteczka, którą wkłada się do USB. Wygląda jak pendrive. Budzę się rano, schodzę do salonu, od razu włączam komputer. Otwieram mój profil. Mam nową wiadomość.

A gdzie fotki topless?

Serce zabiło mi mocniej. Oglądam profil nadawcy. Jego avatar to zdjęcie Borata, nazwa profilowa *Jagshemash?*. Pisze na forach o psychologii i NLP. Wydaje mi się ciekawy. Odpisuję.

Co?

Foto z cyckami na wierzchu.

No wyobraź sobie, że wiem, co znaczy topless. O co cho-dzi, kim jesteś?

Nie jestem sobie w stanie tego wyobrazić po takim pytaniu...

Mama mówiła mi, żeby nie rozmawiać z nieznajomymi.

Oszalałaś... i co z tego, że się nie znamy? Co to ma za znaczenie? A jak ktoś do ciebie podchodzi w klubie, to pytasz, skąd się znamy, co masz do mojego wyglądu i co go obchodzisz ty?

Wiesz, nie, ale nie każdy zadaje na wstępie pytanie: „a gdzie zdjęcia topless?".

Ale ja lubię być oryginalny.

Kiepsko ci wyszło.

Mam zacząć od początku, cukiereczku?

Nikt nigdy nie zwrócił się do mnie w ten sposób. To wystarczyło, żebym poczuła się piękna. Żebym poczuła się jak cukiereczek. Czuję, że zaczyna się jakaś fascynująca przygoda. I jestem pewna, że to będzie tylko wirtualna przygoda.

Zaczynaj. Ale może nie szalej, ok.?

Może popracujemy nad trybem orzekającym? Jak mogę nie szaleć? A jeżeli to na ciebie czekałem całe życie? Obie-cujesz ze mną współpracować?

Obiecuję...

Może to miłość od pierwszego wejrzenia?

Może jeszcze masz zamiar się ze mną umówić?

Oczywiście, to nie ulega wątpliwości.

Żartujesz?

Nie żartuję. Dlaczego tak sądzisz?

A skąd mam wiedzieć, że nie jesteś jakimś pedofilem?

Pedofile to raczej wolą dzieci albo młodych chłopców... a ty już dzieckiem nie jesteś... chyba... swoją drogą, ile masz lat??

16.

A ja 26. Wiec dzieckiem nie jesteś.

Flirtowanie w Internecie to twoja życiowa domena? W sumie jestem ciekawa, z iloma dziewczynami jednocześnie.

Nie – szukam tej jedynej :) Tylko z Tobą.

A ty nie chcesz się umówić?

Wiesz, to jest raczej niewykonalne.

Czemu?

Rodzice nie puszczają mnie nigdzie, nawet do kina z koleżanką, więc żeby gdzieś się wyrwać, muszę nieźle kombinować.

Zawsze można coś wymyślić...

Moi rodzice są pojebani i nie da się ich zrozumieć. Nie pozwalają mi na nic. Ale chcę się spotkać...

Skoro jesteś taka chętna, to musimy to zrobić jak najszybciej...

Jestem małą dziwką. Naprawdę trudno mi będzie wyrwać się z domu...

Chyba jesteś w niewoli;) ja lubię niegrzeczne dziewczynki ;)

Mam pewien pomysł, ale niemożliwy do zrealizowania przed świętami.

A dlaczego nie do zrealizowania przed świętami? Więc tymczasem zostaje kamera ;)

Żadna kamera. Ciągle mnie ktoś pilnuje.

Jak to, kamera odpada? :(

Tak zwyczajnie. Niewykonalne.

Ściema. No to fotki.

Coś chyba jest nie tak z tobą. Mam rozumieć, że chcesz po prostu na mnie patrzeć?

Tak... jestem wrażliwy na piękno i doznania estetyczne... a skoro nie mogę zaspokoić innych moich zmysłów tobą, to zostaje widok... Zrób parę fotek :)

Ok.

Sesja trwa?

Musisz trochę poczekać. Nie bądź taki niecierpliwy.

Już jestem cały twój.

Już nic nie dostaniesz. Nie wiem, co mógłbyś z nimi zrobić.

Ale ja nic nie dostałem. A co miałbym zrobić?

Nie wiem. Opublikować gdzieś.

Po co miałbym to robić? Wiesz, ile jest takich fotek w necie? To sprawa między nami... Błagać nie będę, ale ładnie proszę ;) Chciałbym zobaczyć twoje śliczne piersi ;)

Nie.

Czekam na fotki.

No to się nie doczekasz. Pooglądaj sobie porno.

Wolę ciebie.

Na to ci nic nie poradzę.

Poradzisz. Wyślij obiecane fotki, kotku.

Nie. Nic nie wyślę.

Obiecałaś... dlaczego?

Nie, nie obiecałam. Jesteś męczący.

Więc już nie będę – tym bardziej że właśnie tego oczekujesz.

Mam błagać, żebyś nie przestawał?

Nie. Wyślij fotki, a wejdziemy na inne stopnie kuszenia.

Aha. No to pa.

Pa.

Ok, wysyłam.

Bądź moją małą dziwką i wyślij coś naprawdę ostrego.

Boję się. Nie chcę wysyłać mu żadnych zdjęć. Chcę, żeby ktoś mnie pożądał, ale nie chcę, żeby wiedział, jaka jestem. Wiem, że nie jestem w stanie wzbudzić pożądania. Że nikt nie nazwałby mnie seksowną nastolatką. A on tak o mnie myśli i uwielbiam go za to. Wyjmuję z szafki aparat i robię kilka zdjęć moich piersi. Wychodzą okropnie. Małe, z dużymi brodawkami. Bezkształtne. Wokół brodawek mam kilka ciemnych włosów. Myślę, że to ohydne. Wpisuję w wyszukiwarkę „włosy wokół brodawek". Czytam gdzieś, że to normalne. Wysyłam mu te zdjęcia.

Pokaż mi swoje mokre futerko.

Dość.

Pamiętaj, że jesteś moją małą dziwką… a ja chcę zobaczyć mokre futerko mojej małej dziwki.

Nie chcę już być twoją dziwką.

Jak to nie? No to co z tym futerkiem? Mam iść spać czy sprawisz, abym nie mógł spać tej nocy?

Dobranoc.

Całą noc nie spałam. Czułam się zakochana. Nie umiałam myśleć o niczym innym. Codziennie siedziałam przy komputerze do 4.00 rano albo dłużej. Kiedy moi rodzice szli spać, wymykałam się z łóżka i bardzo cicho schodziłam po schodach. Bardzo cicho.

Śniłam ci się?
Bardzo intensywnie... tylko kiedy sen się spełni?
A ja nie mogłam przez ciebie spać.
Powinnaś spać ze mną.
Może kiedyś. Próbuję się uczyć, ale nie mogę. Myślę o tobie.
Może? Ja nie widzę innej opcji... możesz mnie nawet wykorzystać ;)

Może popatrzymy na ciebie i kolejną sesję? :)
Czekaj. Chcę zobaczyć chociaż, jak wyglądasz.
Czekałem całe życie... nie mam tutaj — mogę wysłać dopiero wieczorem.
Już mi się znudziła ta zabawa.
Zapraszam do siebie na praktykę.
Ok. ;)
Kiedy? Ale nie zapominaj, że miałaś pokazać mi futerko swego kotka... :)
Nie. Nic takiego nie obiecałam. Jeśli już, to tylko na żywo.
Obiecałaś... w końcu jesteś moją dziwką, która lubi świntuszyć...
Nie obiecałam. Wręcz powtórzyłam 100 razy, że nie.
Jak moja dziwka mówi, że nie, to znaczy, że tak... więc pokaż mi ją... wiem, że tego pragniesz... :)

A jak twoja dziwka powie, że tak, to zrozumiesz, że nie?

Moja dziwka powinna być dziwką i chce, abym ujrzał jej futerko, ale się obawia, że będzie za bardzo wyuzdana...

W sumie masz rację.

Ja lubię wyuzdane kurewki... zrób to, a będę cię jeszcze bardziej pożądał... przecież o to chodzi... czyż nie? Czekam jeszcze 5 min.

A jak powiem, że mam dla ciebie prezent ;)? Tylko nie wiem, czy mogę ci go dać... Bo o co dalej poprosisz?

Możesz ;) Mam już coś na oku... ;) Chcę cię dobrze poznać przed spotkaniem...

Co to znaczy, że masz już coś na oku?

To, co ewentualnie będzie później... Czy niespodzianka jest już na skrzynce?

Jeszcze chwila.

Zdecydowałam się. Wzięłam maszynkę i ogoliłam bikini. Zostawiłam trochę włosów, bo bałam się skaleczyć. Usiadłam na ziemi, rozłożyłam nogi, jedną rękę położyłam na wzgórku łonowym. Zrobiłam kilka zdjęć. Przerobiłam je trochę, żeby były niewyraźne.

Dlaczego takie niewyraźne? Nie widzę, czy jesteś mokra...

Jestem, zapewniam ;)

Wyślij jakieś wyraźniejsze i bez rączki ;)

To dość dziwne, o co prosisz.

O gustach się nie dyskutuje.... a ja wolę wprost i bez bawełny... szczególnie bawełnianych majteczek ;)

Naprawdę nie możesz znaleźć sobie laski, która będzie chętnie bawiła się w te twoje sesje?

Wolę ciebie, dziwko, bo ciebie kręci to, że oglądam twoją mokrą cipkę... A myślę, że jeszcze bardziej ci się spodoba, jak sprawdzę językiem, czy rzeczywiście jest taka mokra, jak mówisz.

No sprawdź, sprawdź ;)

Jesteś tak mokra, mała wyuzdana kurewko? Chętnie... kiedy chcesz?

Choćby natychmiast.

A przyjedziesz do mnie?

Prawdę mówiąc, to nie jestem wcale mokra i do ciebie nie przyjadę :)

Nie jesteś mokra, bo mnie przy tobie nie ma... :) Widzę, że spodobały ci się ekspozycje fotograficzne... kontynuujmy zatem.

Nie. Właśnie to akurat ani trochę mi się nie podoba.

Ale to tylko środek do celu... Przynieś aparat i zrobimy zdalną sesję ;) Ja tobą pokieruję...

Spadaj.

A może nagabywanie sprawia ci w tym największą satysfakcję?

Może. Sama nie wiem. Powiedz mi coś miłego.

Na przykład, że uwielbiam twoje ciało, piękne nabrzmiałe piersi i twoje futerko? ;) Tak, że uzależniasz mnie od swego widoku, bo jestem wrażliwy na piękno?

Słodkie.

Może jesteśmy dla siebie stworzeni?

Nie wiem, ale absolutnie cię uwielbiam, uwielbiam, uwielbiam, uwielbiam.

A kiedy pokochasz? ;) Nie chciałabyś mi się pokazać przed snem? Buziaki.

Nic poza nim nie istnieje. Moja mama widzi, że ciągle siedzę przy komputerze. Laptop ma zepsutą baterię i działa tylko, gdy jest podłączony. Rodzice chowają kabel na noc. Jednej nocy wymykam się z łóżka i widzę, że nie ma kabla. Dostaję szału Nie wiem dlaczego, ale od razu pomyślałam, że może być schowany w skrytce pod fotelem. To niedorzeczny pomysł. Sprawdzam. Kabel tam jest.

Znowu nie mogłam przez ciebie spać. Hm... mógłbyś coś z tym wreszcie zrobić ;)

Kiedy tylko zechcesz... ale musisz wyrwać się spod klosza...

No to trzeba będzie poczekać tak ze dwa lata?

Wierzę w ciebie... coś wymyślisz :) A tymczasem czy nowa sesja jest dla mnie gotowa?

A powiesz mi, dlaczego tak bardzo chcesz mieć te fotki?

Bo nie mogę cię mieć teraz na żywo, chcę poznać twe ciało dokładnie, podobasz mi się, podnieca cię, że je oglądam.

Wiedz, że zmusiłam się do tego specjalnie dla ciebie, bo prawdę mówiąc, czuję się z tym jak szmata.

Ale ja mam ochotę obejrzeć z detalami twoją cipkę. Myślę, że jednak sprawiło ci to przyjemność, bo nie ma nic złego w eksponowaniu swoich wdzięków. Oczywiście nie każdemu...

Kim jesteś, jeśli nie każdym?

*Jestem twoim księciem, a ty moją małą dziwką i po-
winnaś robić to, na co mam ochotę. Wolę cię rozebraną... ;)*

Ojciec zaprasza mnie do opery. Dostał dwa dar-
mowe bilety. Trudno będzie mi wyjść z domu wieczorem, kiedy zwykle piszę z NIM. Ale chcę zawalczyć.
Wychodzę. Ojciec krytykuje moją torbę, mówi, że
jest nieelegancka, i każe mi ją zostawić w bagażniku.
Przedstawienie jest koszmarnie nudne i długie. Spotykamy znajomych ojca, przedstawiam się. Nie po-
dają mi ręki. Jestem niesamowicie szczęśliwa, kiedy
otwieram drzwi domu. Mama już śpi. Mogę usiąść
do komputera. Kabel jest. Ale nie ma Internetu. Wi-
-fi jest wyjęte z USB. Dostaję ataku paniki. Nie mogę
spać całą noc.

*Kiedy wpadniesz do mnie ?
A kiedy masz wolny wieczór ?*

Jest grudniowy dzień, trochę przed świętami. Uciekam ze szkoły i jadę do mieszkania ojca na Grochowie.
Dał mi kiedyś klucze. Oglądam trochę porno, potem
kasuję historię. Czytam o rozdziewiczaniu. Boję się trochę. W lodówce znajduję zielony ogórek. Na łóżku kładę
ręcznik. Cipkę smaruję olejem roślinnym. Ogórek też
nim smaruję. Próbuję go w siebie włożyć. Wchodzi na
kilka centymetrów. Wciskam go głębiej. Czuję ból, ale
lekki. Nie ma żadnej krwi. Ogórek wchodzi dość głęboko. Mam nadzieję, że nie jestem już dziewicą. Ale nie
wiem na pewno.

Jaki był twój pierwszy raz?

Udany ;) Miałem chyba z 15 lat. Potem ona zapytała, ile miałem dziewczyn wcześniej, co mnie bardzo ubawiło :) Pamiętam, ale jej nie pamiętam za bardzo... A jaki będzie twój?

Dlaczego użyłeś czasu przyszłego?

Bo widzę, że jesteś jeszcze dziewicą. Piszesz, jakbyś nigdy nie miała faceta.

No bo nigdy nie miałam faceta. Miałam tylko chłopców

Nienawidzę robić tych fotek. Wstydzę się. Przebieram się w bieliznę mamy. W mojej szufladzie są same wielkie, wygodne, bawełniane majtki. Trochę zmechacone. Wyciągam z szafek mamy seksowną bieliznę i robię sobie w niej zdjęcia. Bez niej też. Potem zmieniam proporcje, żeby wyglądać na szczupłą.

CHCĘ, ŻEBYŚ MNIE TERAZ RŻNĄŁ, TERAZ.

To zapraszam – chętnie cię zerżnę, mała dziwko.

Ale ja dzisiaj nie mogę. I jeszcze mam okres...

Ale masz dwie pozostałe dziurki... Możemy się spotkać po południu.

Nie mogę dzisiaj.

A ja tak bardzo chciałbym zrobić ci dobrze...

Też bym chciała... ale nie mam na to wpływu.

Możesz sobie sama zrobić ;)

Myślisz, że nie robię? To nie to samo.

A czym sobie robisz? Wiem... mój język jest zdecydowanie lepszy.

Palcami, po prostu.

Nie rozważałaś zakupu czegoś na baterie?

Owszem, ale co powiedziałabym rodzicom, gdyby to znaleźli?
To poza asystami masz też skanowany pokój? ;)
To chyba jasne. Każdą szufladę, pokój, kieszenie.

Rodzice wcale nie dręczą mnie umyślnie. Robią to przypadkiem. Nie czyhają na mnie. Po prostu wciąż przypadkowo wpadają na trop jakiegoś przewinienia. Jakiejś drobnej nieszczerości. Nie ma ani kawałka mojego świata. Kawałki mojego świata rodzice nazywają kłamstwem. Chcą wiedzieć. Im więcej chcą wiedzieć, tym więcej chcę ukrywać. Po prostu mieć coś swojego.

Dlaczego oni cię tak prześladują?
Mówią, że robią to dla mojego dobra.
Czyli?
No właśnie nie wiem, ale już nawet nie staram się zrozumieć. Oni to jakoś dziwnie pojmują. Masz czas jutro?
Myślę, że tak... tylko będę zajęty między 16.00 a 18.00...
Jaka pora by ci odpowiadała?
Może być ok. 18.30, ale będziemy mieli mało czasu, bo o 21.00 muszę wrócić.

Stopniowo zdaję sobie sprawę, jak bardzo to jest nierealne. Jak doskonałe musiałoby być kłamstwo, żeby się nie wydało? Nie wiem, jak doskonałe musiałoby być. Poza tym najbardziej kocham w tym wszystkim to oderwanie od rzeczywistości. Kocham to, że on chce mnie, a ja chcę jego słów. Wcale nie chcę go spotkać. Boję się i czuję, że to nierozsądne. Niebezpieczne.

Zdradź mi sekret... chcesz się przespać z facetem, którego nie widziałaś na oczy? A jak się okaże, że mam 69 lat i jestem grubym i obleśnym wieprzem? :)

Obiecałeś mi, że najpierw gdzieś się umówimy, a potem ewentualnie pójdziemy do ciebie. Więc będę miała czas na decyzję... Tak, właśnie chcę się przespać z facetem, którego nigdy nie widziałam na oczy. Gdzie się spotkamy?

Np. przy kościele na Chłodnej.

W takim razie kościół na Chłodnej 20.00, tak?

Tak. Daj mi jeszcze swój numer.

Nie mam pojęcia, gdzie jest Chłodna. Postanawiam zadzwonić do koleżanki, o której wiem, że porusza się często sama po mieście. Zresztą to moja jedyna koleżanka. Jedyna koleżanka, do której czasem chodzę i która czasem bywa u mnie w domu. Rodzice oglądają telewizję w salonie, ja siedzę na schodach i półgłosem z nią rozmawiam. Udaje mi się mniej więcej ustalić trasę. Kończę rozmowę i szczęśliwa zbiegam na dół. Od razu łapie mnie mama i pyta, co mam zamiar robić na Chłodnej. Później padają już tylko oskarżenia o kłamstwo. Wymyślam coś, by z tego wybrnąć. Oczywiście mogę zapomnieć o wyjściu z domu. Jestem pewna, że on przestanie się do mnie odzywać, jeśli odwołam spotkanie. Ale nie ma innej drogi.

To nie ma sensu. Już się wszystko wydało. Żal mi. Miło było. Pa.

Co się wydało? Coś tu ściemniasz.

Rozmawiałam z koleżanką przez telefon i moja mama usłyszała.

Jesteś jakaś nienormalna??? Po chuj mówisz koleżankom????? Widzę, że musisz dorosnąć, bo zachowujesz się jeszcze bardzo dziecinnie jednak...

Masz mnie za idiotkę? Nie powiedziałam nic konkretnego, tylko zapytałam, czy wie, jaki tramwaj tam jedzie, bo ja się totalnie nie orientuję w dojazdach. Powiedziałam, że umówiłam się z KIMŚ, nic więcej. Jak sobie pomyślę, że mogłabym być teraz z tobą, gdybym nie powiedziała tego jednego pierdolonego zdania, to mnie chuj na miejscu strzela. Jakby mi nie zależało, to nie zastanawiałabym się cały dzień, co tu zrobić, żeby jednak się stąd wyrwać. I nie pisałabym kolejnej wiadomości bez odpowiedzi. No ale cóż... nie obiecam ci, że tym razem się uda, ale daj mi o s t a t n i ą szansę... błagam...

Swoją drogą to wiesz, że możesz podać swoich rodziców do sądu za to, że zabraniają ci uprawiać seks? :) Wyślesz mi kartkę top/bottom less, abym bardziej tęsknił ;)?

Ten weekend?

Nie mogę w ten. Następny?

Ok.

Tylko aby nie było tak jak ostatnio :)

Tym razem powinno się udać, bo to już jest plan prawie w 100 proc. bezpieczny :) I będę uważać, co mówię :)

Proponuję, abyś w ogóle o tym nie mówiła :)

Zrobię wszystko, żeby tym razem się udało. Po co ci właściwie w łóżku jakaś nastolatka?

Wolałabyś jeździć nowym samochodem, prosto z salonu lub po 1 właścicielu, czy 20-letnim, po wielu właścicielach? Wiesz... to pies bierze, a suka daje...

Co za bzdura.

Chcesz zmienić świat :)??
Co?
Oburzasz się na sprawy oczywiste i naturalne...
Daj spokój. 18.00 na Chłodnej?
Do zobaczenia.

Rodzice wiozą mnie do koleżanki. Razem z nią jadę do centrum. Ona idzie do Złotych Tarasów, ja jadę pod Atrium. Znajduję kościół na Chłodnej. Staję pod nim. Okazuje się, że u niego w domu ciągle są robotnicy, więc może wyjść do mnie tylko na chwilę. Bardzo chcę go zobaczyć. Chociaż przez chwilę. Mam na sobie kozaki, puchowy płaszcz, bieliznę pożyczoną od mamy i pończochy. Jest bardzo zimno. Chyba jest mróz. W każdym razie leży śnieg. On dzwoni. Mówi, że idzie. Widzę, jak idzie. Całuje mnie w usta. To mój pierwszy pocałunek. Wkłada mi język do ust. Podoba mi się. Ciągnie mnie w stronę parku. Nie odzywamy się do siebie prawie wcale. Stajemy za jakimś drzewem, całujemy się. Rozpina mi płaszcz, wkłada rękę w stanik. Pierwszy raz ktoś dotyka moich piersi. Pierwszy raz mężczyzna dotyka mojego ciała. Wsuwa dłoń pod spódnicę. Bawi się moją cipką i wkłada palce do środka. Wkłada mi je do ust. Oblizuję. Czuję się cudownie. Czuję się kochana. Nie żegnamy się. Jadę do Złotych Tarasów i opowiadam o wszystkim koleżance. Ze szczegółami. Potem wracamy do jej domu, skąd mają mnie odebrać rodzice. Mamy bardzo mało czasu, więc boję się, że nie zdążę. Koleżanka dzwoni po ojca, żeby odebrał nas ze stacji. Wysiadamy z pociągu i biegniemy do auta. Moi rodzice czekają pod jej domem w samochodzie. Wsiadam, szybko wymyślam kłamstwo. Mówię, że tata koleżanki zawiózł nas do wypożyczalni i że dopiero wróciłyśmy. Rodzice wierzą. Później okazuje się, że zgubiłam telefon. Jestem pewna, że to się stało, kiedy biegłam przez stację. Nie mogę się przyznać. Rodzice chcą go szukać. Mówię więc, że pewnie wypadł mi w wypożyczalni. Jedziemy tam i udaję, że go szukam. Niczego się nie domyślają, chociaż trochę węszą. Udało się. Piszę do niego jeszcze tego samego wieczoru.

JA PIERDOLĘ. Nie stać mnie na inny komentarz.
To w znaczeniu pozytywnym czy negatywnym :)?
To chyba głupie pytanie :)

Jednego dnia uciekam ze szkoły i jadę do centrum handlowego tylko po to, żeby znaleźć te perfumy. Są cudowne. Pachną NIM. Biorę kilkanaście papierków i psikam na nie kilkanaście razy perfumami. Trzymam je w domu w pudełeczku, a jeden zawsze noszę przy sobie.

Mogę jutro po południu.
Zadzwonię.

Umawiamy się. Znów jadę do koleżanki. Od początku to wszystko jest dla moich rodziców podejrzane. Ale jest mi wszystko jedno. Pragnę tylko jego. Jedziemy do centrum, dzwoni do mnie mama. Dzwoni kilka razy. Nie odbieram. Potem wyłączam telefon. Jadę na Chłodną. Dzwonię do niego. Podaje mi numer mieszkania. Wjeżdżam windą na 11 piętro. Wchodzę. Ma na sobie krótkie spodenki i japonki. W tle słychać Pussycat Dolls. Zaczyna mnie całować i rozbierać. Znów mam na sobie bieliznę mamy. Czarną. I pończochy. Czarne. Zdejmuje majtki i widzę jego penisa. Jest bardzo mały. Klękam przed nim i biorę go do ust. Liżę go jak umiem najlepiej. Tak bardzo nie chcę, żeby wiedział, że jestem dziewicą. Kładzie mnie na łóżku i wchodzi we mnie. Nie ma żadnego bólu. Czyli ogórek skutecznie mnie rozdziewiczył. Jestem szczęśliwa. On kończy po kilkunastu sekundach. Kończy w moich ustach. Jestem dumna z siebie, dumna z tego, że połknęłam spermę. Potem długo się do niego przytulam. Mija jakieś 15 minut, on mówi, że się spieszy, że muszę już wychodzić. Całuję go na pożegnanie. Z klatki schodowej dzwonię do mamy. Wie, że nie jestem u koleżanki. Kłamię, że pojechałyśmy do Empiku. Myślę, że uwierzyła. Idę potem do tramwaju, szczęśliwa, jedna pończocha zsuwa się ze mnie, wydaje mi się, że na ustach mam jeszcze trochę spermy. Wydaje mi się, że ludzie przyglądają się moim rumieńcom i że widzą, że uprawiałam przed chwilą seks. Że ktoś mnie chciał i mnie wziął. Wracam do domu. Mama jest wściekła. Zabiera mi Internet i telefon. Potem jednak rodzice biorą mnie ze sobą na kolację do restauracji. Myślę, że wszystko będzie dobrze. Mama jest na mnie trochę cięta, ale wygląda na to, że jej przejdzie. Jest jednak gorzej, niż myślałam. Następnego dnia na moją komórkę przychodzi sms od koleżanki i mama zaczyna węszyć. Siedzę na łóżku i oglądam telewizję. Ona wpada do pokoju, pyta, czy chodzi o faceta. Mówię, że nie. Krzyczy, spałaś z nim. Mówię, nie. Ale wiadomo, że tak. Zaczyna się koszmar. Robią mi test na narkotyki. Muszę nasikać do pojemnika. Robię to, po czym stawiam pojemnik z moczem na stole. Ojciec mówi, zabierz to ze stołu. Mówią, że jestem dziwką. Mówię, że czułam się kochana, że on jako pierwszy mnie zaakceptował. Mówią, że jestem darmową dziwką. Na koniec koszmaru ojciec mnie nawet przytula i mówi, że wszystko będzie dobrze. Mama mnie nie przytula. Tak naprawdę marzę tylko o tym, żeby móc do niego napisać.

W domu jest koszmar. Koszmar. Rodzice nie odzywają się do mnie prawie wcale, a kiedy już muszą, to zamiast mówić, szczekają. Milczą, chodząc po domu, milczą w ogóle. Wiem, że kiedy rozmawiają między sobą, tematem jest to, co zrobiła Dominika. Milczą, podając mi tabletkę „po". W ogóle nie mam pojęcia, po co mi ją podali. Traktują mnie jak idiotkę. Pytają mnie, jakiego rodzaju seks uprawiałam. Kilkakrotnie mnie o to pytają. Odpowiadam, że taki normalny. Bo co mam powiedzieć? „Oralny, klasyczny, potem skończył mi w ustach, mamo"? Najbardziej boli mnie milczenie matki. I brak zrozumienia. Kompletny brak prób zrozumienia. Założenie, że winna jest głupota. I Internet. Internet bardziej. Chwilami wydaje mi się, że ten koszmar nigdy się nie skończy i już nigdy nie będzie normalnie. Boję się chodzić po domu. Wolę unikać spojrzeń i wszelkich konfrontacji, nawet przypadkowych. Na wszystkie natrętne pytania wypowiadane karcącym tonem odpowiadam skruszonym, cichym głosem. Odpowiadam szczerze i pełnymi zdaniami. Nigdy nie odzywam się pierwsza. Większość czasu w domu spędzam w swoim pokoju na łóżku, płacząc trochę z bólu, a trochę ze strachu. Czasami, kiedy jestem w jakimś pomieszczeniu i słyszę, że ktoś kręci się w pobliżu, zamieram bez ruchu, siadam na podłodze, płaczę i czekam, aż ten ktoś odejdzie. Zwolni dla mnie miejsce. Przestanie mi grozić rozmową.

14

To trwa kilka dni. Cztery albo pięć. Nie wiem ile, ale długo. Najbardziej potrzebuję normalnego kontaktu z mamą. Żeby mama znów mnie przytulała. Żeby znowu rozmawiała ze mną jak zawsze. Takim głosem jak wtedy, gdy wszystko jest w porządku. Idę po schodach na górę do swojego pokoju, słyszę coś dziwnego. Wiem, że ktoś u mnie jest. Boję się, co tym razem się wydarzy. Nieśmiało zaglądam do pokoju. Mama siedzi w fotelu koło łóżka, w fotelu, na którym nikt nigdy nie siada, bo zwykle leży na nim sterta ubrań. Nie widzi mnie. Przytula do siebie różową panterę, dużą, trochę brudną maskotkę, moją ulubioną, z którą zawsze śpię. Płacze, a płacz porusza jej klatką piersiową. Doskonale wiem, jaki to jest płacz. Taki, który wyciska serce jak gąbkę i zabiera oddech. Taki, przy którym się wyje. Mama i pantera siedzą tak razem i obie są smutne. Na podłodze koło fotela robi się kałuża łez. Mama płacze tak bardzo, że robi się przed nią kałuża łez. Czuję, że to potrzebny moment. Że skoro złość zamienia się w smutek, to może być już tylko lepiej. Robię krok przed siebie i staję w drzwiach pokoju. Właściwie bardziej wewnątrz niż w progu. Mama podnosi wzrok i wtedy patrzę jej w oczy. Przez chwilę patrzę po prostu na jej oczy, są przekrwione i zmęczone łzami, spuchnięte, nie mają źrenic. Dopiero po chwili dostrzegam w oczach spojrzenie. Przekrwione, zmęczone spojrzenie. Nie wiem, jak to się dzieje, ale po kilku sekundach siedzimy razem na łóżku, przytulone do siebie mocno, wtulone w siebie nawzajem, płacząc głośno i mokro, łkając i drżąc. Kiedy już jesteśmy w stanie przepuścić jakieś słowa przez ściśnięte gardła, mówimy do siebie, mówimy dużo różnych rzeczy, choć nie wiem jakich, wiem tylko, że mówimy sobie, że wszystko będzie dobrze i że się kochamy, i że wszystko się jakoś ułoży.

Jednak wcale nie chce się nijak ułożyć. Wprawdzie jest mi znacznie lżej ze świadomością, że w domu znowu jest prawie normalnie i można przebywać w nim prawie bez strachu, ale codzienność wygląda bardzo inaczej. Mam z powrotem komórkę, ale w domu wciąż nie ma Internetu. To znaczy, Internet jest, ale ja nie mam do niego dostępu. Mogę z niego korzystać tylko pod kontrolą rodziców. Czyli oni patrzą, co robię. Wpatrują się w ekran. Wszystko bez sensu. Bardzo chcę do niego napisać. W końcu nie mam pojęcia, czy mu się podobało. Chcę wiedzieć i myślę, że jego odpowiedź raczej potwierdzi moje przypuszczenia. Bo przecież było fajnie. Jestem pewna, że napisał do mnie, żeby mi podziękować albo umówić się na kolejne spotkanie. Widzę oczami wyobraźni, jak odpowiadam mu, że niestety, ale musimy zerwać kontakt. Chcę móc mu napisać chociaż tyle. Jednego dnia mówię mamie, że potrzebuję jakichś materiałów do szkoły z Internetu i pod jej opieką loguję się do sieci. Mam nadzieję, że na chwilę zostawi mnie samą albo jakiekolwiek okoliczności pozwolą mi sprawdzić wiadomości. Udało się. Z biciem serca czekam, aż poczta się załaduje. Z ogromnym rozczarowaniem stwierdzam, że na skrzynce nie ma żadnej wiadomości od niego. Piszę więc:

Myślisz, że to w porządku tak się nie odzywać?

Myślałam, że to wszystko się skończy i jakoś zapomnimy, nie będziemy wspominać o tym w domu, przejdziemy do porządku dziennego. Ale nie. Mama bardzo chce się zemścić na tym człowieku, chociaż wie, że nic nie może zrobić. Jako piętnastolatka byłam legalna. Zgłasza sprawę na policję. Policja obiecuje się tym zająć, chociaż nie ma podstaw do oskarżeń, ale są podstawy do podejrzeń. Żeby móc się bardziej dręczyć, mama chce się dowiedzieć, kim jest ten człowiek. Kim jest człowiek, który rozdziewiczył jej córkę. Właściwie też jestem ciekawa, kim jest. Bo okazało się, że nie jest tym, za kogo się podawał. Ma 33 lata, urodził się w Nowym Targu, mieszkał w Opolu, gdzie zasłynął uwodzeniem młodych dziewczyn przez Internet, miał wyrok w zawieszeniu, potem zamieszkał w Warszawie, gdzie wynajmuje dwa mieszkania, z których jedno specjalnie po to, by móc do niego sprowadzać nastolatki. Żeby móc mnie tam sprowadzić. Tyle dowiaduję się od rodziców o moim pierwszym kochanku.

Z Internetu korzystam na przerwach w szkole. Mogę swobodnie pisać do niego wiadomości. Jakoś to skończyć. Myślę, że wygrałam. Że mam podstawy, żeby myśleć o sobie dobrze, żeby czuć się atrakcyjną dziewczyną. Wartościową dziewczyną, której ktoś chce. Ale nie do końca tak jest. Jest tak:

Nieładnie kłamać i nieładnie się nie odzywać, nie sądzisz?

Dlaczego uważasz, że kłamię?

Nieważne. Poza tym uważam, że wypadałoby się jakoś pożegnać, a nie tak bez słowa, nie sądzisz?

Gdzie byłaś od niedzieli do wtorku?

Wysłałam ci niespodziankę... tym razem pod twój prawdziwy adres...

Sugeruję, abyś wzięła mocny rozbieg i pierdolnęła się tym pustym łbem w ścianę... a przy okazji życzę sobie, abyś odpierdoliła się ode mnie raz na zawsze, psychopatyczny pasztecie. Swoje problemy rodzinne rozwiązuj bez mojego udziału – ja z marginesem społecznym nie chcę mieć nic do czynienia. Nie wysilaj się już na odpowiedź, bo każda wiadomość od ciebie, pojebie, będzie kasowana bez czytania.

Wprawdzie wzięłam poprawkę na to, że się wściekł, bo pewnie policja przyszła go sprawdzić i wiedział, że stało się tak za moją sprawą, ale i tak najbardziej dotknęło mnie słowo „pasztet". Pasztet. Tak o mnie powiedział. Czyli jednak nie odzywał się, bo mu się nie podobało. Ja mu się nie spodobałam. Czuję się tak koszmarnie, że nie umiem sobie nawet przypomnieć, jak to było, kiedy czułam się jakkolwiek inaczej. Nigdy nie byłam jakoś szczególnie przekonana o tym, że chcę żyć, ale właśnie zyskałam pewność, że nie chcę. Że nie dam rady funkcjonować jako człowiek, którym jestem. Chodzę do szkoły, z nikim raczej nie rozmawiam, w domu dużo i długo śpię, śpię, żeby przespać czas. W moim życiu w depresji tylko sny składają się z wydarzeń. Mają jeszcze jedną właściwość – w ogóle nie są o słowach.

Czasami wstaję, rozmawiam z mamą, często płaczę, mówię, że bardzo żałuję tego, co się stało. Mama przytula mnie i sprawia wrażenie, jakby się cieszyła z mojego żalu. Jakby się cieszyła, że zrozumiałam mój błąd. Ale ja niczego nie zrozumiałam. Mama widzi, że coś jest nie tak. Mówi, że to depresja, a ja mówię, że muszę schudnąć, że muszę się zmienić, że jeśli nie, to umrę.

W szkole zbliżają się rekolekcje wielkopostne. Mamy wyjechać gdzieś na trzy dni. Bardzo nie chcę. Nienawidzę szkolnych wycieczek jeszcze bardziej niż szkolnej codzienności, pewnie dlatego, że po szkole zwykle wraca się do domu, a w czasie wycieczki donikąd się nie wraca. Najwyżej do ośrodka, ale to nie przynosi ulgi i nie jest ucieczką. Trzy dni bez ucieczki. W napięciu. Mówię mamie, że bardzo nie chcę, że umrę na tej wycieczce, ale wszyscy poza mną twierdzą, że to doskonały pomysł i na pewno dobrze mi zrobi. Jadę. Na miejscu jestem cały czas załamana. Podczas modlitwy w kaplicy cały czas płaczę, wszyscy widzą, że coś jest nie tak. Wstydzę się. Wieczorem opowiadam o wszystkim koleżankom w pokoju. Ośmiu koleżankom. Opowiadam im to jako smutną historię. Tak jak było. Współczują mi i są wyrozumiałe. Jednogłośnie stwierdzają, że powinnam się wyspowiadać. Wcale nie mam zamiaru tego robić, zresztą zawsze kłamię przy spowiedzi, ale coś mnie wtedy tknęło, pomyślałam, że mi to ulży, że mnie oczyści. Jestem przerażona. Sparaliżowana. Jakoś daję radę. Opowiadam księdzu, mniej więcej, w każdym razie zrozumiał, że był seks. Nie robi to na nim aż tak wielkiego wrażenia. Dostaję jakąś tam pokutę, nie pamiętam, nieważne. Wieczorem na kolację są naleśniki z polewą, która wygląda jakoś dziwnie. Mówię, że wygląda jak sperma, i wszyscy powtarzają dowcip. Czuję się dziwnie. Czuję, że oni wiedzą. Ale nie chce mi się w to wierzyć. Wierzę, że osiem koleżanek, którym opowiedziałam moją historię, zachowa ją dla siebie. Nie mam pojęcia, dlaczego w to wierzę. Po powrocie z kolacji zamykam się w łazience, dzwonię do mamy z histerią i każę odebrać się z ośrodka i zabrać do domu. Mówię, że się zabiję, jeśli będę musiała tam zostać, i że się zabiję, jeśli nadal będę gruba. Zabierają mnie. Nikogo to nie dziwi, bo wszyscy na miejscu wiedzą, że coś jest ze mną nie tak. Zabierają mnie, bo mama chyba się przestraszyła. Chyba pomyślała, że naprawdę się zabiję. Nie pamiętam, czy chciałam to wtedy zrobić.

15

Miałam jeszcze kilka internetowych romansów, jeden nawet prawie realny. Użytkownik miał na imię Radek. Nasze rozmowy na początku wyglądały identycznie. Potem zdarzały się pogawędki na różne tematy. Lubił samochody, pochodził z Sanoka, robił dużo błędów ortograficznych i w ogóle był prostym chłopakiem. Bywał rozbrajający. Trochę go nawet polubiłam. Właściwie polubiłam go całkowicie. Umówiłam się z nim na spotkanie w samochodzie. Zawsze zresztą umawiałam się na s p o t k a n i a, nigdy nie umawiałam się po prostu. We wtorki wieczorami chodziłam do klubu fitness, był na ulicy równoległej do mojej. Zaplanowałam, że opuszczę zajęcia i umówię się z Radkiem pod klubem. Nie miałam innej możliwości wyrwania się z domu. We wtorek wieczorem wyszłam więc z domu w sportowym ubraniu, żeby nie budzić podejrzeń rodziców. W torbie miałam pończochy i spódniczkę. Nie miałam gdzie się przebrać. Stanęłam więc koło ogrodzenia sąsiada i szybko wciągnęłam spódniczkę na spodnie, ściągnęłam spodnie, założyłam pończochy. Nikt nie widział. Udało się. Chwilę czekałam na ulicy. Trochę zmarzłam, bo było zimno, a pończochy były cienkie. Trochę zmarznięta wsiadłam do samochodu Radka. Okazał się sympatyczny, prostolinijny i neurotyczny. Dokładnie taki, jak go sobie wyobrażałam. Opowiadał mi o swojej pracy, opowiadał jakieś krótkie historyjki i anegdoty. Potem zatrzymał auto w jakiejś bocznej uliczce. Spojrzał na mnie swoimi dziecięcymi, bezmyślnymi oczami i spytał:

– No i co ja mam zrobić z takim aniołeczkiem?

Odpowiedziałam:

– Co chcesz.

Pocałował mnie. Dobrze całował. Dotknął moich piersi, raczej bez przekonania, dosłownie na parę sekund włożył mi rękę w majtki, a potem rozpiął spodnie. Spytał:

– Zrobisz to?

Odpowiedziałam:

– Tak.

Nachyliłam się nad jego kroczem. Jego penis był raczej średniej wielkości. Od razu wzięłam go do ust. Smakował proszkiem do prania. Penisy często smakują proszkiem do prania, pewnie przejmują ten smak od proszku używanego do prania bokserek. Proszki są różne, a penisy zawsze smakują podobnie. Chwilę robiłam mu laskę, dosłownie chwilę, szybko skończył, jego wytrysk był w moich ustach gęsty i ciepły. Połknęłam wszystko i oblizałam usta. Spytał:

– Chcesz wody?

Odpowiedziałam:

– Tak.

W drodze powrotnej opowiadał mi różne anegdoty i krótkie historie. Zostawił mnie pod klubem fitness i powiedział, że ma nadzieję, że jeszcze kiedyś się zobaczymy. Znowu musiałam przebrać się na ulicy, tym razem bez stresu, że ktoś to zauważy. Było już ciemno, więc trudniej było cokolwiek zauważyć. Poza tym wszystko łatwiej przychodzi za kolejnym razem. Oto historia mojego drugiego kochanka. A może nie był moim kochankiem? W kolorowym magazynie przeczytałam kiedyś, że 50 proc. mężczyzn uważa, że seks oralny nie jest zdradą. Ale myślę, że to bzdura. Seks to seks.

Potem jeszcze długo miałam kontakt z Radkiem. Nawet spotkaliśmy się kolejny raz. Też na loda w samochodzie. Był zapracowany, nie miał czasu na podrywy, błagał mnie, żebym jeszcze raz mu ulżyła, a ja robiłam to, mówiąc, że chętnie sobie potrenuję. I naprawdę tak myślałam, chciałam poćwiczyć obciąganie, żeby dobrze mi szło w przyszłości. Na wypadek, gdybym spotkała kogoś, komu naprawdę chciałabym sprawić przyjemność. Nawet trochę się w Radku zakochałam. Polubiłam jego głupie historie. Myślałam, że może coś z tego nawet będzie. Myślałam, że on też mnie lubi i że wie, jaka jestem gorąca. Myślałam, że to wystarczy. Ale nic z tego nigdy nie było. Nawiązywałam nowe kontakty na portalu randkowym, a o Radku zaczęłam zapominać.

Parę tygodni później odzywał się jeszcze do mnie, ale powiedziałam, że na pewno już więcej nie zrobię mu laski ani niczego takiego, i przestał się odzywać. Było mi nawet trochę przykro, ale przestało.

16

Zaczęły się wakacje, więc nie musiałam nic robić. Flirtowałam, zmieniałam opis i zdjęcia w profilu. Moje wirtualne poczucie wartości rosło. Najlepsza wirtualna laska w wirtualnym świecie. Obiekt wirtualnego pożądania. Byłam chyba gwiazdą portalu randkowego. Zwykle czytałam wiadomości na bieżąco, a jeśli musiałam na chwilę się wylogować, po powrocie czekało na mnie tyle propozycji, że nie dawałam rady wszystkich przeczytać. Zwykle wymieniałam po kilka wiadomości, jeśli stwierdzałam, że kandydat jest wart zainteresowania, przenosiliśmy się na komunikator. I na tym się kończyło. Nie bardzo umiałam rozmawiać. Rozmowy się nie kleiły. Nagle zdarzyło się coś niespodziewanego. Napisał do mnie chłopak, z którym naprawdę dobrze mi się rozmawiało. Jakoś tak o niczym. Zaczęło się. Wciąż flirtowałam z różnymi chłopakami, ale tylko z nim pisałam codziennie. Nazywał się Piotrek. Wymieniliśmy się zdjęciami i numerami telefonów. Jego twarz nie była ładna, a głos nie był męski. Twarz była wystarczająco ludzka, żeby ją zaakceptować, a do głosu można się było przyzwyczaić. Zdecydowałam spotkać się z Piotrkiem po kilku rozmowach telefonicznych. Umówiliśmy się na Starówce. Piotrek pocałował mnie na powitanie w policzek. Nie byłam nim zachwycona. Był wysoki, miał parę kilogramów nadwagi, długie, trochę przetłuszczone włosy i szeroką, płaską twarz. Miał na sobie koszulkę jakiegoś deathmetalowego zespołu. Wyglądał jak pizda w przebraniu metala. To raczej nie była udana randka. Poszliśmy na spacer, kiepsko nam się rozmawiało i odniosłam wrażenie, że mu się nie podobam. Ale parę dni później spotkaliśmy się jeszcze raz. I jeszcze raz. Umawialiśmy się głównie w parkach i chodziliśmy na spacery albo siedzieliśmy na ławkach i opowiadaliśmy sobie wzajemnie o naszych nieszczęściach. Piotrek miał 22 lata, kilka nieudanych związków za sobą, studiował psychologię, mieszkał z rodzicami. Jego ojciec był ćpunem, a matka kobietą sukcesu. Czy kimś takim. Piotrek dostawał codziennie pieniądze na obiad od mamy, na wszystkie okazje, tj. święta, urodziny itp., dostawał koperty od rodziców i dziadków. Z tego żył. Kiedy pytałam, czemu nie pracuje, odpowiadał, że nie mam pojęcia, jakie to trudne, i obrażał się. Podczas jednego z naszych spacerów Piotrek spytał, czy nie usiadłabym mu na kolanach. Powiedziałam, że nie bardzo. Właściwie powiedziałam mu, że jestem jego dziewczyną, ale trzymałam dystans.

Może po prostu dlatego, że mi się nie podobał. Kiedyś spytał, podobam ci się? Odpowiedziałam, a myślisz, że byłabym z tobą, gdybyś mi się nie podobał?

Byłam z nim, bo mnie uwielbiał. Kochał mnie strasznie. Strasznie to dobre określenie. Na jego prośbę skasowałam konto na serwisie randkowym. Z własnej woli postanowiłam go nie zdradzać i wytrwałam w tym postanowieniu przez pięć miesięcy naszego związku. Byłam z nim, chociaż mnie wkurwiał, zachowywał się jak cipa, myślał i działał wolno, nie miał poczucia humoru, czytał fantastykę, grał na komputerze, uwielbiał przemoc w łóżku, spał codziennie do 14.00 i beznadziejnie całował. Moi rodzice go nie znosili. Ale ja chciałam ciągnąć ten związek z kilku powodów. Był na każde zawołanie, przyjeżdżał z Mokotowa na Muranów o 7.00 rano tylko po to, żeby odprowadzić mnie od metra do szkoły, albo przynosił mi moje ulubione kanapki i czekał z nimi na mnie pod szkołą. Piotrek pokazywał mi dużo miejsc i lokali w mieście, a moi rodzice nie bali się o mnie, kiedy z nim byłam, więc zaczęłam się wreszcie samodzielnie poruszać po Warszawie. Zawsze za mnie płacił. Pragnął mnie bez opamiętania, więc moje poczucie wartości utrzymywało tendencję w górę. Poza tym miał pewnie jeszcze jakieś zalety. Piotrek często bywał u mnie w domu i wtedy rodzice ciągle nas pilnowali. Moja mama wciąż znajdowała mi jakieś zajęcie albo wołała mnie do siebie. Denerwowaliśmy się, na seks raczej nie mieliśmy szans, ale Piotrek często lizał mi cipkę. Mówił, że uwielbia to robić, i twierdził, że jest w tym mistrzem, ale ja nie byłam zachwycona jego umiejętnościami, nigdy nie miałam orgazmów i nigdy ich nie udawałam. Przyjemność zaczęłam mieć dopiero po zakupie wibratora. Wibrator kupiliśmy w sex shopie na Muranowie, koło mojego liceum. Był wielki, gumowy i różowy. Zwykle seks uprawialiśmy, kiedy Piotrek przychodził do mojego domu, na szybko i pod presją, w każdej chwili ktoś mógł wejść do pokoju. Nie rozbieraliśmy się, on tylko rozpinał spodnie, a ja podciągałam spódnicę. Tak było bezpieczniej. Przez pierwsze dwa miesiące naszego związku seks był tylko pomiędzy naszymi genitaliami. Do domu Piotrka nie mogłam przychodzić, bo Piotrek wstydził się ojca-ćpuna. Pierwszy raz byłam u niego, kiedy jego rodzice wyjechali na urlop i zostawili puste mieszkanie. Podczas ich tygodniowej nieobecności codziennie bywałam u niego w mieszkaniu. Zwykle przychodziłam, uprawialiśmy seks, jedliśmy coś, oglądaliśmy horrory na DVD albo jakieś pornosy, uprawialiśmy seks, braliśmy kąpiel i tak do wieczora. Prawie cały czas spędzaliśmy bez ubrań. Nie byłam szczupła, ale moja twarz jakoś wyładniała, wyszlachetniała, podobałam się Piotrkowi i czułam się atrakcyjna. Jego ciało było dla mnie koszmarem. Miał białą, delikatną skórę, delikatniejszą od mojej, wystający brzuszek, zero mięśni, obfite owłosienie. Jego penis nie był duży i zawsze smakował mydłem. Piotrek przepadał za przemocą w sypialni, a ja, chcąc sprawić mu przyjemność, zdecydowałam się spróbować. Pytał mnie kilkakrotnie, czy jesteś pewna. Mówiłam, tak. Pierwszy raz okazał się ostatnim. Najpierw Piotrek przywiązał mi ręce do rury nad łóżkiem. Lizał mi cipkę, jak zawsze kiepsko, trochę za mocno i kompletnie bez wyczucia. Potem odwrócił mnie na brzuch. Z szafki wyjął palcat – taki krótki bacik, którego używa się w jeździectwie. Rozbawiło mnie to. Bił mnie tym palcatem po pupie. Nie bolało. Śmieszyło mnie to, ale udawałam podniecenie. Potem zostawił bacik i bił mnie ręką. Bardzo mocno. Jego ręka zostawiała na mojej skórze bolesne ślady. Wydawał mi się taki żałosny, kiedy rozkazywał mi swoim niemęskim głosem. Mówił, masz być suką, lubisz to, szmato, ssij go, liż go całego. To było jeszcze bardziej żałosne. Kiedy klęczałam przed nim i robiłam mu loda, uderzył mnie w twarz. Najpierw lekko. Kazałam mu przestać. Uderzył mnie drugi raz. Tak mocno, że z ucha wypadł mi kolczyk. Przestraszyłam się. Rzuciłam się na łóżko, zwinęłam się w kłębek i płakałam. Spodziewałam się, że Piotrek będzie bardzo przejęty, ale trochę się przeliczyłam. Próbował się tłumaczyć i mówił, że przecież chciałam. Nigdy więcej już tego nie zrobiliśmy.

Z czasem Piotrek coraz bardziej się we mnie zakochiwał, a ja miałam go coraz bardziej dość. Zaczął się dla mnie czas licealnych imprez. Wszystkie wyglądały podobnie. Umawiałam się ze znajomymi z klasy, usiłowaliśmy kupić wódkę, co przy samodzielnych próbach zwykle kończyło się niepowodzeniem, więc prosiliśmy o to kogoś przypadkowo spotkanego. Zdobyta z trudem wódka uderzała do szesnastoletnich głów szybko, więc połówką upijaliśmy się w pięć osób. Nasze imprezy zaczynały się, kiedy było jeszcze widno, a kończyły zawsze około 23.00. Niektórzy musieli wracać do domu ostatnim dziennym autobusem, innych odbierali rodzice. Tych innych było trochę mniej. Ja zawsze do nich należałam. Wódka wchodziła mi gładko, nie musiałam popijać, nie krzywiłam się wcale. Natychmiast się upijałam. Moja mama była tym skonsternowana, a Piotrek obrażał się na mnie, bo nie chciałam go ze sobą zabierać. Wstydziłam się go. Wstydziłam się, kiedy siedział obok mnie taki wielki i brzydki. Chciał ze mną chodzić, żeby mnie pilnować. Zresztą on wszędzie chciał ze mną chodzić. Bał się, że go zdradzę albo zostawię, że poznam kogoś nowego. Czy mnie kochasz, pytał często. No tak, odpowiadałam zawsze. Czy mnie nie zostawisz, pytał. Nie wiem, skąd mam wiedzieć, odpowiadałam. Ale jak to, pytał. Prawie codziennie powtarzaliśmy ten dialog.

Jednego dnia Piotrek odwiedził mnie w domu. Byłam pewna, że rodzice wyszli. Kochaliśmy się, drzwi były otwarte. Chwilę po tym, jak Piotrek wyszedł, mama mnie zawołała. Okazało się, że cały czas ona i Konrad byli w domu. Że Konrad nas widział. Mama powiedziała, od dzisiaj z tobą nie rozmawiam, od dzisiaj w moim imieniu rozmawia z tobą Konrad. Nie wytrzymałam. Pobiegłam do pokoju, wyciągnęłam z szuflady jakieś tabletki i łyknęłam całe opakowanie. Potem zadzwoniłam do Piotrka i powiedziałam mu, co zrobiłam. Piotrek zadzwonił do mojej mamy i powiedział jej, co zrobiłam. Trzy minuty później jechałam z Konradem do szpitala, płacząc. Płukanie żołądka nie było takie straszne. Ale nic w nim nie wyszło. Zostałam w szpitalu na noc pod kroplówką. W badaniach rano nic nie wyszło. Zniknęło we mnie całe opakowanie leków przeciwbólowych. Widocznie nic wtedy nie było w stanie mi pomóc. Wypuścili mnie ze szpitala i dostałam skierowanie do psychiatry. Poszłam do psychiatry, chociaż nie chciałam. Dostałam skierowanie do ośrodka. Do szpitala psychiatrycznego dla młodzieży.

Na trzy tygodnie. Stojąc w recepcji ośrodka, powiedziałam do mamy, zostaw mnie tutaj, a nigdy więcej się do ciebie nie odezwę albo zabiję się naprawdę. Wróciłyśmy do domu. Następnego dnia poszłam do szkoły. W szkole odpowiadałam z historii. Z Greków i Rzymian.

Z Piotrkiem nadal często się spotykaliśmy i dużo rzeczy robiliśmy razem. Najczęściej razem jedliśmy w restauracjach i piliśmy kawę w kawiarniach. Często też chodziliśmy do kina. Chodziliśmy w takie miejsca i robiliśmy takie rzeczy, żeby mieć poczucie komfortu. Żeby każde z nas miało poczucie komfortu. Dla niego to oznaczało możliwość ciągłego wpatrywania się we mnie, obserwowania moich gestów, ruchów, kroków, mimiki. Wszystkiego. Dla mnie komfort oznaczał możliwość milczenia bez wskazywania konkretnego powodu. Umiałam rozmawiać tylko poirytowanym tonem. Wolałam nie rozmawiać. Często przytulałam się do Piotrka po to, żeby nie musieć rozmawiać. Twarz wtulałam w jego klatkę piersiową, a usta trzymałam zamknięte. Zaciśnięte jak pięści.

To trwało kilka miesięcy. Właściwie prawie pół roku. Skończyło się nagle i spektakularnie. To był chyba piątek. Piotrek przyszedł pod moją szkołę i poszliśmy na obiad. Potem pojechał ze mną do domu, odprowadził mnie pod furtkę, pożegnaliśmy się i on poszedł. Siedziałam sama w domu, oglądałam telewizję i nagle pomyślałam, że muszę skończyć tę znajomość, że nie wytrzymam dłużej. Bałam się rozmowy z Piotrkiem, nie chciałam patrzeć na jego łzy, słuchać jego błagania. Wiedziałam, że go zranię, i nie chciałam nic o tym wiedzieć. Napisałam do niego:

Będziemy musieli porozmawiać.

Od razu po przeczytaniu wiadomości zadzwonił do mnie i dopytywał się, co się dzieje. Powiedziałam, że nie bardzo mogę rozmawiać, bo jestem w domu z mamą i nie chcę, żeby wiedziała. Dałam mu znać, że chcę się z nim rozstać, i obiecałam zadzwonić później. Skończyliśmy rozmowę, a on zasypywał mnie wiadomościami, błagał, żebym z nim została, mówił, że się zabije, jeśli odejdę. Osiągnęłam mój cel – udało mi się zerwać z nim i wytłumaczyć się przez smsy. Bez konfrontacji. Potem przez chwilę było mi nawet smutno. Przez pół godziny.

Przez kilka kolejnych tygodni Piotrek się nie odzywał. Pisał do moich koleżanek i obrażał mnie, mówił, że wyssałam go emocjonalnie i finansowo, że go okłamywałam, kiedy mówiłam o miłości. A ja nie wiedziałam, o czym mówiłam.

Moje życie po rozstaniu natychmiast wróciło do normalnego rytmu. Szkoła, dom, Internet, sen, szkoła itd. Miałam więcej czasu dla siebie, chociaż wcale nie był mi on potrzebny. Ale i tak wolałam spędzać czas sama. Zaczęłam czytać poezję i pisać własne wiersze, publikowałam w Internecie, cieszyłam się z pochwał i wierzyłam w swój talent. Pisałam dużo wierszy, czasem kilka dziennie. Rozmawiałam z ludźmi, którzy zajmowali się tym samym. Miałam alternatywny świat, w którym byłam gwiazdą. Byłam chyba szczęśliwa. Albo po prostu szczęśliwsza niż kiedykolwiek. Rzadko bywałam w szkole, miałam z tego powodu trochę problemów, ale zawsze udawało mi się jakimś cudem uniknąć konsekwencji.

Codziennie rano wyciągałam mamie z portfela jakieś drobne, kupowałam za to najtańszą kawę w kawiarni koło wyjścia z metra, pamiętam, to było espresso, małe i mocne, obrzydliwe. Zawsze czekałam, aż wystygnie, wlewałam je wtedy do gardła i natychmiast popijałam wodą. Czasem kupowałam też papierosy i wypalałam kilka, chociaż robiło mi się od nich trochę niedobrze. Siedząc w kawiarni, czytałam gazety i czasopisma literackie, czytałam teksty, które nic mnie nie obchodziły i na których nie umiałam się skoncentrować. Mimo to czytałam, powtarzając w myślach słowa, nigdy nic sobie nie wyobrażałam, zawsze czytając, widziałam tylko słowa. Czytałam dużo różnych tekstów i nie miałam zdania na temat żadnego z nich. Wszystkie wydawały mi się oczywiste i nie myślałam o wartościowaniu. Do szkoły chodziłam na pojedyncze lekcje, na te, których się nie bałam, czyli na te, na które nie trzeba było nic umieć. W czasie zajęć chodziłam po księgarniach i kawiarniach, czytałam wszystko, co wpadło mi w ręce, pisałam na znalezionych skrawkach papieru, potem czytałam to, co napisałam, i cieszyłam się z tego. Oglądałam też dużo filmów, większość z nich do połowy albo kawałkami, przewijając nudne sceny. Wpisywałam tytuł filmu w wyszukiwarkę i czytałam jego opis. Czytałam, o czym był. Na wypadek, gdybym musiała się kiedyś na jego temat wypowiedzieć. Starałam się przyswoić tak dużo informacji jednocześnie, że nie wiedziałam nic o niczym. Ale miałam dużo różnych wrażeń, których wcale nie pamiętam.

17

Robię kolację, zwierzęta zamykam w korytarzu. Zanim pies położy się w koszyku, jeszcze trochę skomle. Pies nie ma imienia, odkąd każdy inaczej go nazywa. Reaguje na wszystkie imiona świata. Kiedy skomle, Konrad nazywa psa jednym z tych imion, ścierwo. Prosiłam cię przecież, nie wspominaj trupów, myślę wtedy natychmiast i wołam psa innym imieniem, piesek, wołam i głaszczę go po głowie z włosem, żeby nie był zły.

tak małe dłonie jak moje nie potrafią utrzymać sensu.
wciąż powtarzam, że mam dość, że idę do domu.
klnę, coś mówię o kilometrach drogi, które pilnują
by zbyt daleko nie uciec, by nie wrócić do dawnych uczuleń
i kruchych grudniowych kwiatów. próbuję myśleć
o czymś innym.

włączam radio i słucham, o czym są piosenki. biorę psa na ręce
i domyślam się, kto przed chwilą go głaskał. po zapachu sierści.

Wybieram dodatki do chleba i nie wiem, z czym będzie dobrze. Pomidory zawsze kroję, nie odrywając noża od deski. Wszystkie noże w domu są tępe, ciężko zanurzają się w miąższ. Kiedy ostatnio kroiłam pomidory, z wnętrza wypływało ich pomidorowe serce, sok i pestki w tym soku. Dociskałam nóż, zamiast go przesuwać, ostrze opierało się sile, ślizgało się w palcach. Nacięłam opuszkę kciuka, włożyłam kciuk do ust, nie bolało. Kroiłam dalej, krew mieszała się z sokiem, z pestkami, z soczystym sercem rośliny. Ziemniaki stoją w wodzie, uparte czubki ziemniaków stoją nad wodą. Konrad je soli. Kiedy się gotują, w środku robią się miękkie. Konrad wbija nóż w ostre, mączne wnętrza, na nożu zostają ziemniaczane serca i nerki. Konrad zapala papierosa. Od ciężaru dymu powietrze robi się coraz mniejsze i coraz bardziej gęste, daje się poczuć na języku. Otwieram okno i mówię, wiosnę czuć w powietrzu. Wiosna nie pachnie, mówi Konrad, tylko śnieg topnieje, spod śniegu wychodzi brudne i mokre jak było przed śniegiem. Mówię, trudno żeby inne wychodziło spod śniegu, skoro nowe wychodzi z ognia.

18

Palimy w kominku. Od światła nie będzie cieplej, mówi Konrad, nie będzie lepiej. Wrzucam drewno do paleniska, ogień liże je i głaszcze. Wszędzie w domu stoją kwiaty. Łodygi i liście. Zwykle kiedy Konrad przeprasza mamę, przynosi jej kwiaty. Płatki kwiatów, które przynosi, zachodzą na siebie. Płatki są drobne, liście są mięsiste. Topię kwiaty w wazonach i grzebię w doniczkach. Gdyby Konrad spytał, jakie lubię kwiaty, powiedziałabym, cięte.

19

Moje słowa słychać ciepło, bo drżą na języku, zanim je wypowiem. Kiedy nie wiem, co powiedzieć, mówię, pierdolę. Robię, co mogę.

20

Konrad krzyczy. Matka mówi, przestań, dziecko płacze, jest jej teraz przykro. Dlaczego mnie nikt nie pyta,
czy mnie nie jest przykro, pyta Konrad, może mnie też
czasem jest przykro. Matka krzyczy, jesteś gnojem, wy-
pierdalaj, nie chcę cię więcej widzieć na oczy, w ogóle
nie chcę cię już widzieć. Mam czerwoną twarz, wszystkie naczynka chłodzą krew na mojej twarzy. Mam tuż
pod skórą tyle naczyń, ile może we mnie pęknąć. Konrad mówi, co ja jej zrobiłem, o co się kłócimy, nie będę
chyba przepraszał dziecka. Zostaw to, to moje rzeczy
i ja je kupiłem, dodaje, ty nie będziesz ich pakować.
Matka prosi, zrób to dla mnie. Konrad robi to dla niej,
przeprasza mnie. Potem włącza telewizor. Matka sprzą-
ta okruchy ze wszystkich miejsc w domu. Potem jemy
razem kolację. Konrad ma na sobie koszulę, noszenie

ubrań to jedyna bliskość, na jaką go stać. Wzór na jego koszuli jest sztywny. Kiedy Konrad sięga po chleb, wzór stoi na rękawie.

21

Nadal poznaję jakichś chłopaków przez Internet. Ale poza tym wszystko jest inaczej. Nawet moje ciało się zmienia. Jeszcze nie jest zgrabne, ale układa się w kształty. Bardziej przypominam człowieka. Odkrywam, że kupowanie ubrań i innych rzeczy sprawia mi przyjemność. Kupuję w sieciówkach, bo tylko na to mnie stać. Lubię patrzeć na siebie w lustrach w przymierzalniach. Nie lubię patrzeć na siebie w lustrze w domu. Codziennie rano ubieram się przez czterdzieści minut, bo nie mogę zwykle znaleźć niczego, w czym czułabym się komfortowo. W czym nie czułabym się gruba. Przeglądałam kolorowe magazyny i wyobrażam sobie, że moje życie mogłoby wyglądać jak na zdjęciach. Mogłoby być piękne i nieruchome. Byłabym jak dziewczyna ze zdjęcia. Byłabym szczupła i piękne ubrania trzymałyby się na moich wystających kościach biodrowych. Wyglądałabym cudownie w kuchni i w łazience, w salonie i w korytarzu.

22

Mama kupiła mi silne leki hamujące łaknienie. W miesiąc chudnę prawie 10 kg. Nie jem. Nie muszę. Nie potrzebuję i nie chcę. Mdleję od tego, mam uderzenia gorąca, chwilami wydaje mi się, że umieram, ale to jest najcudowniejsze uczucie, jakiego kiedykolwiek doświadczyłam. Najpierw widzę w lustrze obojczyki. Potem żebra na dekolcie. Potem kości biodrowe. Nigdy nie widziałam nic tak pięknego, jak moje własne kości. Jestem znowu człowiekiem.

23

Czas, który spędzam w domu, on nie biegnie, on zatacza sztywne kręgi. Każdy czas poza domem jest wyjściem poza własny rewir. Jest doświadczeniem wyjścia. Chodzeniem po obcych miejscach z poczuciem, że jest się intruzem. Z domu nie da się wyjść po prostu, trzeba się za każdym razem wydostawać. Kiedy jestem w domu sama, siedzę w ciszy. Zwierzęta zawsze śpią. Udają, że ich nie ma. Nie mają ze mną nic wspólnego, oprócz przestrzeni w domu. Kiedy wraca moja mama, zwierzęta budzą się i cieszą. Obudzone zwierzęta biegają i robią dużo hałasu. Kiedy robi się ciemno, nie zasłaniam okien i nie zapalam świateł w domu. Rodzice zawsze kazali mi zapalać światła w korytarzu i na schodach, żeby z ulicy było widać, że dom nie jest pusty. Nigdy tego nie robiłam. Myślałam, od światła dom nie przestanie być pusty. Ciemne i ciche godziny w domu spędzam na pisaniu wierszy. O wierszach nie mówię, że są wierszami, nazywam je zawsze tekstami. Piszę dużo tekstów, zwykle dwa albo trzy dziennie. Każdego dnia publikuję jeden w Internecie i czytam komentarze, które się pod nim pojawiają. Z autorami niektórych nawiązuję dyskusje. W ten sposób poznaję Krzyśka. Krzysiek mieszka koło Krakowa i też pisze, a ja doceniam jego pisanie. Zaczynamy od rozmowy o rzeczach, o których nic nie wiemy. Tak dużo ze sobą rozmawiamy, że opowiadamy sobie wzajemnie całe życie.

24

Noc jest pełna i wymiarowa, ma środek, ale nie ma początku, mówimy, że jest wieczór, a nie początek nocy, że jest świt, nie koniec.

25

Moja babcia zaczyna chorować. Moja babcia to mama mojej mamy. Diagnoza: rak płuca. W domu jest poruszenie, ale mnie nie bardzo to obchodzi. Każdą wolną chwilę spędzam na korespondowaniu z Krzyśkiem. W końcu postanawiamy się spotkać. Krzysiek postanawia przyjechać do obcej dziewczyny, do obcego dużego miasta ze swojego ciasnego miasteczka na południu. Przyjeżdża. To nie jest przypadkowe *love story*, to jest *love story* celowe. Wychodzę po niego na dworzec. Widzę go, jak wychodzi z pociągu. Nie mam wrażeń. Nie jest przystojny, nie jest też brzydki. Myślę, w porządku. Mówię, cześć Krzysiu, i zaczynam grzebać w torebce. Po drodze do domu zamieniamy tylko kilka słów, Krzysiek opowiada, jak minęła mu podróż. To konieczne słowa. Bez nich usta byłyby nieruchome, a usta muszą się ruszać, kiedy ludzie się poznają, usta muszą mówić, a kiedy nie mówią, powinny drżeć. W domu on rozpakowuje swoje rzeczy, ja siadam na kanapie i patrzę, jak to robi. On w końcu siada obok mnie i pyta, chcesz żelka. Mówię, nie dzięki. Sam też nie bierze. Zaczynamy się śmiać. Nie wiem, co robimy potem. Kupujemy wino i oglądamy film. Rozmawiamy o tym, co wiemy o poezji, myślimy, że to jest dużo lub wszystko. On czyta mi wiersz, czyta, kocham cię jak picie wódki, bo jesteś silniejsza od deszczu, i ja uważam, że to ładne słowa, potem on mówi o Macierzyńskim i o Hłasce, a potem się całujemy i już wiadomo – to będzie nasza *love story*. Krzysiek śpi w salonie na dole, ja w swoim pokoju na górze. Kiedy siedzimy w nocy u mnie, moja mama nie śpi. Pilnuje. Całujemy się cicho. Krzysiek prawie od razu wkłada mi rękę w majtki, jego ręka miota się we mnie bez wyczucia i sprawia mi trochę bólu, ale milczę. Potem palimy razem papierosy na tarasie, nie umiem się zaciągać, on się ze mnie śmieje, mówi, musisz wciągnąć powietrze nosem tak, żeby zmieszało się z dymem, musisz poczuć dym w gardle. Od razu widać, kiedy się zaciągasz, wtedy wypuszczasz dym płasko, kontrolujesz go. Kiedy się nie zaciągasz, dym leci, gdzie chce.

26

W mieście zaczyna się wiosna. Można wnioskować po lekkich ubraniach, podwiniętych rękawach i po tym, że przez rzekę nie da się już przejść po lodzie. Zniszczone kobiety sprzedają na ulicach pąki wczesnych tulipanów. Kiedy postawi się w wazonie takie surowe kwiaty, dom na chwilę wypełnia się ulgą.

27

Jabłko obraca się w dłoniach, jest czerwone i twarde, lśni szczelne i napięte jak poparzona skóra. Ślady zębów sięgają głęboko w miąższ, sok płynie po palcach aż do nadgarstków. Zanim słodycz zacznie pulsować w skroniach, biała rana na jabłku żółknie przy swoich brzegach.

28

Okazuje się, że po chemioterapii babcia jest słaba i powinna leżeć w łóżku. W ciągu miesiąca postarzała się o kilka lat. Łóżko babci ma stanąć w salonie. Łóżko babci ma stanąć w pokoju, w którym jest miejsce mojego komputera. I tak się dzieje.

Spędzam każdą wolną chwilę w pokoju razem z babcią. Babcia myśli, że spędzam czas z nią. Z nią i z jej chorobą. Ale to nieprawda. Spędzam czas z komputerem. Rozmawiam z babcią, nie odwracając wzroku od ekranu. Na początku nasza relacja wygląda codziennie tak samo. Potem z dnia na dzień się pogarsza. Babcia od choroby robi się złośliwa. Robi się nie do zniesienia, a my powstrzymujemy się od reakcji. Nie zwracamy uwagi choremu człowiekowi, nie krzyczymy na niego. Dla mnie chory człowiek nie jest babcią. Chory człowiek każe przynosić sobie rzeczy i pomagać w czynnościach. Mówi, zrób mi kanapkę, z pasztetem drobiowym i ogórkiem, z ogórka zdejmij skórę. W kuchni robię kanapkę z pasztetem i ogórkiem, z ogórka zdejmuję skórę. Przynoszę kanapkę choremu człowiekowi. On mówi, ale przecież ja tego nie zjem, nie pogryzę skórki od chleba, idź do kuchni i ją odkrój, w ogóle nie myślisz, co robisz. Idę do kuchni i nadal nie myślę, co robię, ale odkrawam skórkę od chleba. Zaciskam zęby i bez słowa zanoszę babci. Tym razem kanapka wygląda tak, jak powinna. Babcia je kanapkę, a potem od razu wymiotuje. Robi tak za każdym razem, najpierw każe sobie coś przygotować, a potem od razu wymiotuje. Czasem wydaje mi się, że to też jest z jej strony złośliwe.

Kiedy myślę o babci, widzę obrazek, widzę, jak stoi przede mną i ma na głowie chustkę. Czasem widzę ją w czapce. Zawsze z przykrytą głową. W myślach patrzę zawsze najpierw na głowę, dopiero po chwili patrzenia dostrzegam ciało. W moich myślach babcia zawsze stoi, stoi przede mną, jest niższa i to mnie rozczula, niski wzrost to jedyne, co sprawia, że się jej nie boję. Moje myśli zakładają babci czapkę na rzadkie, siwe włosy, i stawiają ją na nogi. One nie robią tego złośliwie. W łuskach włosów pęcznieje choroba. Przenika każdy włos z osobna. Włos pełen choroby wypada. Babcia ma coraz mniej włosów. I nigdy nie wstaje. Rzadko siada. Ona tylko leży.

Z babcią jest coraz gorzej, a między mną i Krzyśkiem jest coraz lepiej. On przyjeżdża do mnie co miesiąc. Śpimy razem w moim łóżku, nastawiamy budzik na czwartą, o czwartej on wstaje, śpi w pokoju obok, rano udajemy, że nie spaliśmy razem. Jemy razem śniadania

i kolacje, wszystko robimy razem. Przez dwa dni week-
endu. Przez kilka kolejnych tygodni wszystko robimy
oddzielnie. Kiedy jesteśmy razem, babcia i jej choroba
dla mnie nie istnieją. Nic poza nim dla mnie nie istnieje
i dlatego czuję się szczęśliwa. Na co dzień wszystko wygląda inaczej. Unikam odwiedzania babci w szpitalu. Ale
czasem muszę. Babcia nie jest miła. Jest złośliwa. Ciągle
ma pretensje. Czasem udaje mi się poprawić jej humor.
Mówię coś złośliwego o mamie albo dziadku i humor
babci się poprawia. Śmieje się wtedy śmiechem chorych
ludzi. Samym głosem. Bez uśmiechu.

Babcia wciąż chudnie i wciąż siwieje. Z dnia na dzień
jej włosy robią się coraz bielsze. Skóra na skroniach robi
się coraz cieńsza, a skóra na policzkach coraz cięższa.
Wchodząc do sali w szpitalu, muszę się chwilę zastano-
wić, do którego łóżka podejść, bo babcia nie różni się już
od innych pacjentów. Jest tak samo obca.

Czasem babcia siedzi na łóżku, nie opierając pleców
o poduszki, siedzi zgarbiona, ze spuszczoną głową i ramionami zwisającymi ze stawów barkowych, a jej oczy,
one patrzą na pościel. Źrenice ma wielkie, od tych wiel-
kich źrenic oczy wyglądają, jakby były puste. Najpierw
myślimy, że babcia jest smutna. Potem dowiadujemy się,
że babcia jest po morfinie. Nie bardzo to do nas dociera.
Ja rozumiem tylko tyle, że to jakiś narkotyk, słyszałam
o nim wcześniej, że to jakiś ciężki narkotyk. Babcia do-
staje ciężki narkotyk, będąc ciężko chora. Rozumiem
więcej. Rozumiem, że jest naprawdę źle.

Kilka dni później babcia wraca do domu. Zaczyna się
jakby lepiej czuć. Nadal wierzę, że wszystko będzie z nią

dobrze. Przecież babcia nie może umrzeć. Babcia jeździ po domu na wózku, bo nie może chodzić. Właściwie jeździć też nie może. Trzeba ją wozić.

Wyjeżdżam na weekend do Krzyśka. Żegnam się z babcią przed wyjazdem, ona się do mnie uśmiecha. Kiedy jestem z Krzyśkiem, zapominam o babci. Kiedy jestem w jego domu, zapominam o moim domu. Wieczorami wychodzimy do miasta, w nocy kochamy się, w ciągu dnia oglądamy telewizję, leżąc razem na kanapie pod kocem. Jest dobrze. Jednego wieczoru mama dzwoni do mnie z płaczem. Krzyczy przez łzy. Mówi, że babcia miała migotanie komór. Czyli mama mówi, że babcia już prawie umarła. Mówi też, że właśnie zrozumiała, że babcia niedługo umrze do końca.

Z Krzyśkiem dużo palimy, z paleniem się ukrywamy. Ukrywamy się wszędzie, w ogrodzie i za każdym rogiem, wszędzie znajdujemy schronienie. Im więcej razem palimy, tym bliżej siebie jesteśmy. Łączą nas nasze kryjówki, zapach, który trzyma się ubrań i wgryza się w skórę. Strach przed byciem przyłapanym, pospieszne układanie w głowie wymówek, tłumaczenie się przed sobą, jakby było z czego. Palenie jest bez sensu. Ale to wciąż jedyna bezczynność, na jaką nas stać.

niedawno zapomniałam wszystkie te zwierzątka,
które umarły w domu. ich sierść przestała pchać się pod
palce.

płakałam potem trochę, raz chyba nawet w deszczu
i te łzy były prawdziwe, to nie były krople. rozmawia-
łam często przez telefon,

słuchawka parowała, a ja mówiłam do wilgotnej słu-
chawki. kiedy milczałam,

nie rozumiałeś mnie. wprawdzie zawsze we mnie koń-
czyłeś, ale

nigdy nie wiedziałeś, ile własnego masz we mnie, a ile
obcego masz w sobie.

Wracam do domu i wracam do koszmaru. Babcia jest podłączona do aparatury, która mówi o niej
wszystko. Wszystko pokazuje się na ekranach. Para-
metry. Linie i cyfry.

Jest poniedziałek. Jest 26 maja 2008 roku. Jest Dzień
Matki. Jestem w szkole. Na lekcji dzwoni mój telefon.
Dzwoni Konrad, mąż mojej mamy. Nie odbieram, wyci-
szam telefon, wkładam go do kieszeni w torbie. Po lekcji
sięgam po niego. Mam kilka nieodebranych połączeń
i wiadomość od Konrada:

Babcia odeszła godzinę temu. Umarła mamie na rę-
kach. Trzymaj się, mała, bądź dzielna.

Nie płaczę. Dzwonię do mamy. Mama też nie płacze. Rozmawiamy chwilę. Zadaję jakieś bezsensowne
pytania. Dopiero po chwili orientuję się, że mama nie
wie, że ja wiem, i zachowuje się, jakby nic się nie stało.
Jakby nie umarła niczyja babcia i niczyja matka albo
jakby w ogóle nikt nie umarł i jakby wszyscy żyli. Mówię do mamy, mamo, ja wiem. Płaczę w słuchawkę
i mama też płacze. Mówi, opowiem ci później, wracaj
spokojnie do domu.

Mama opowiada. Że dziadek pojechał do babci do szpitala, że to były ostatnie chwile, że babcia dusiła się i łykała powietrze jak ryba, a dziadek mówił, wytrzymaj, poczekaj, Beata już jedzie do ciebie, powtarzał to kilka razy i w końcu mama weszła, w rękach miała kwiaty, położyła je na szafce koło łóżka, usiadła koło babci i przytuliła się do niej, i wtedy babcia jeszcze kilka razy wciągnęła powietrze ustami, a potem przeszedł przez nią dreszcz i umarła. Mama mówi, ona umarła mi na rękach, czy ty to rozumiesz.

żabko karm dzieci dobrze kup grzechotnika — mówi dziadek, miażdżąc w dłoni skorupki.

od razu wiadomo; nikt go nie przekona o istnieniu uczuć od głodu silniejszych

i bardziej sugestywnych. dom to pustka bez przekroju, ale z mnóstwem wejść.

jesteśmy tak wydrążeni jakby nas nie było. z tych odmian można posкładać katalog,

w którym podmiot będzie czekał z obiadem na dzieci, będzie łykał powietrze surowe

i lepkie jak śmierć. z tych ludzi, co mówią o wszystkich książkach, których

nigdy nie przeczytali, każdy jest statystą w stu procentach świadomym.

w pęcherzach nie ma powietrza z ran nie wylewa wody.

Nie wiem, co się dzieje w domu. Mama rozmawiając ze mną, wybucha płaczem w pół słowa, wszystkie jej słowa są łkaniem, przechodzą przez krtań z trudem. Mama długo trzyma słowach w ustach, zanim je wypowie.

Przyjeżdża do nas rodzina z drugiego końca Polski, siostra dziadka i jej mąż, zostają na kilka dni. Dziadek robi im śniadania, obiady i kolacje, puszcza im filmy z podróży. Wszystkie filmy są takie same, bo babcia jest ich aktorką. Babcia jest aktorką w Egipcie, w Izraelu, w Tunezji i w Maroku. Jest aktorką koło piramidy Cheopsa. Koło grobowca. Na plaży. W mieście i w restauracji. Na wszystkich ujęciach i we wszystkich miejscach.

3 czerwca jest pogrzeb. Mama w czarnej sukience jest tak chuda, że można liczyć jej kości. Jest rozpaczliwie chuda, bo schudła z rozpaczy, jest chuda jak najsmutniejszy człowiek na świecie. Na pogrzebie wszyscy jesteśmy najsmutniejszymi ludźmi na świecie. Wszyscy płaczemy i mówimy do siebie wzajemnie NIE PŁACZ, NO NIE PŁACZ, powtarzamy to jak mantrę. Nie wiem, co było po pogrzebie, chyba jacyś ludzie przyszli do nas do domu i jedli jakieś ciasto. Mama mówiła, że to jest nasza rodzina, ale ja nie wiedziałam, kto to był.

Potem dzieją się dziwne rzeczy. Dziadek zostawia drzwi od garażu otwarte na całe noce, dzwonią telefony, ludzie, o których istnieniu nie miałam pojęcia, przedstawiają się jako rodzina i mówią bardzo smutnymi głosami, ich głosy są tak smutne, że trudno w nie uwierzyć. Wszystkie słowa są do siebie podobne, po odebraniu kilku telefonów przestaję ich słuchać, potem przestaję odbierać w ogóle, chociaż wiem, że nikt inny tego za mnie nie zrobi, dziadek przyzwyczaił się do słuchania dzwonka, czasem wydaje mi się, że słuchanie tego uporczywego brzęczenia sprawia mu przyjemność. Ale pewnie się mylę. Raczej zrobiło mu się obojętne. Albo w ogóle go nie słyszy.

Dom nie jest schronieniem, trzeba po nim chodzić jak po wielkiej kryjówce, uciekać przed tym, co się widzi i słyszy, i przed tym, czego nie widać i nie słychać też. Trzeba zamykać drzwi, a klucz w zamku przekręcać do oporu, tyle razy, ile się da.

Odkąd umarła babcia, nie pamiętam, żebym widziała deszcz. Od tamtej pory deszczu nie widać. To, co było kiedyś deszczem, wygląda teraz jak mgła. We mgle wszystko wygląda jak mgła. Wszystko jest śliczne jak na zdjęciach i trochę niewyraźne, jakby się patrzyło przez matową szybę. Wzrok przesuwa się wzdłuż ogniw, kiedy mówię, ten łańcuszek mam po babci, kiedy noszę złoto, to musi coś znaczyć, nie można nosić biżuterii bez sensu, tego się nie zdejmuje po prostu, to się zakłada jak ciężar. Na palcach mam ich kilka. Mam dramat lekkości i dramat ciężaru, stare obrączki, to musi zostać w rodzinie, niektóre związki kończą się szczęśliwie, inne małżeństwem, taka jest kolej rzeczy, tak się mówiło w domu. Mówiło się, odpowiedzialność mężczyzny za dziecko kończy się, kiedy on wyjmuje, nic się, dziecko, nie martw.

29

Płuczę włosy z piany. Krótkie włosy rosną w górę, długie włosy rosną w dół. Rozczesuję włosy palcami, słyszę, jak skrzypi na nich nowa czystość. Pod prysznicem zwykle myślę po niemiecku. Może dlatego, że czytam głównie niemiecką literaturę. Chociaż wydaje mi się, że Niemcy są bardziej prawdziwi w mówieniu niż w pisaniu. Kiedy mówią, słowa równoważą milczeniem. Niemcy nie mówią szybko, oni szczekają, więc robią równe przerwy na oddech, a w przerwach myślą o słowach. Niemieckie słowa brzmią razem z wydechem, układają się w warstwy jedne na drugich, nie składają się w zdania, ale przygniatają wzajemnie, związki między nimi są sztywne. Dlatego niemiecki jest twardy na ustach i nie da się nim mówić, trzeba go wypluwać, wyrzucać z siebie i łagodzić pretensję, która dźwięczy w uszach. Niemiecki ustawia perspektywę pionowo i nie widzę już nic poza tym, o czym da się opowiedzieć ciężkimi, zlepionymi słowami. Dlatego nie potrafię mówić po niemiecku. Mówiąc, kołyszę swoją kruchość w sobie i przekładam nią warstwy języka, to brzmi jak bełkot.

Na moim osiedlu mieszka tylko jedno dziecko. Codziennie wyglądam z balkonu na podwórze. Z wysokości balustrady mogę wybierać dowolne cele dla oczu i obracać wzrok wokół różnych osi. Mogę najpierw widzieć głowę dziecka, a potem jego stopy. Dziecko chodzi po śladach niewidzialnych przyjaciół, w piaskownicy zakopuje zardzewiałe gwoździe i znalezione liście. Bluszcz cierpliwie wiąże mury w całość, drzewo w podwórzu rozkłada konary. Można by zrobić huśtawkę. Albo powiesić hamak. Odbijać się od ziemi, wznosić na wysokość okien i zaglądać za firanki. Przybliżać obrazek.

Po półtora roku związku rozstaję się z Krzyśkiem. Nudzimy się ze sobą i w ramach rozrywki uprawiamy seks, już nic innego razem nie robimy. Rozmawiać nie umiemy. Denerwuje mnie w nim wszystko. Ton głosu, akcent, sposób poruszania się, to wszystko rozbija mnie na milion kawałeczków, potrafię już tylko na niego krzyczeć. On bardzo to przeżywa, ja wcale. Wiem, że kiedyś go kochałam, ale już tego nie pamiętam.

30

Każdy kolejny dzień jest podobny do poprzedniego, tygodnie toczą się swoim upartym rytmem. Chodzę do liceum, wracam do domu, uczę się trochę, a trochę oglądam telewizję, trochę słucham kłótni mamy z Konradem. A może wcale ich nie słucham, tylko po prostu mimowolnie interpretuję wrzaski. Czasem wychodzę z domu, ale muszę wcześnie wracać, najlepiej zanim zrobi się ciemno. Spotykam różnych mężczyzn i mam z nimi różne przygody. Bardzo różne. Dobre i złe. Wciąż zdarza mi się pisać wiersze, ale coraz rzadziej. Publikuję je w prasie i czasem w Internecie. Ludzie się mną interesują, piszą do mnie prywatne wiadomości, w których chwalą mój talent, i ja się z tego cieszę. Raz napisał do mnie jakiś mężczyzna, zaprosił mnie na kolację i ja się zgodziłam. Był tłumaczem literatury i wykładowcą na jakimś uniwersytecie za granicą. Rozmawialiśmy o literaturze, on zadawał mi pytania, ja znałam odpowiedzi, on dziwił się moim odpowiedziom. Miał 40 lat, kilka kilogramów nadwagi, ubrany był na czarno. Zjedliśmy kolację i zaprosił mnie do domu. Poszłam. Siedzieliśmy na kanapie i nagle on zaczął mnie całować, to było straszne, nigdy w życiu nie całował mnie taki stary człowiek. Nie wiem kiedy ani jak to się stało, ale chwilę później kochałam się z tym starym człowiekiem na jego łóżku i jedyne, co czułam, to było obrzydzenie. Kiedy byłam na górze, przed oczami miałam regał z książkami, czytałam tytuły w myślach, żeby nie zwymiotować. Kiedy byłam na dole, oczy miałam zamknięte.

Wróciłam do domu i bardzo długo się kąpałam. Dostawałam potem od niego wiadomości. Niektóre brzmiały jak groźba.

mógłbym cię teraz ucałować bardzo delikatnie by poczuć tylko twoją przezroczystość, przezroczystość, która jest głęboko we mnie. pragnę tylko twojej powierzchni. szukam zapachów po tobie we mnie i też nie mogę się uwolnić od myśli o tobie niezależnie od tego czy mówię po polsku czy angielski mną włada i nawet w tej chwili, kiedy wiem, że jestem twoim ojcem, a ty moją córką, której nigdy nie miałem, poszukuję twojego uciekającego spojrzenia i też jestem zniewolony przez cokolwiek i błagam cię uciekaj ode mnie bo jestem najgorszą głębią która pochłonie twoją kruchą i przezroczystą powierzchnię. szukam najgorszych przekleństw w twoich ustach, by wierzyć, że zawsze jest wiosna i wszyscy są zakochani a kwiaty zrywają się same. na starość świat młodnieje, zaufaj mi – za bardzo młodnieje.

nawet nie przeczuwasz mojej młodości. zawsze jest wiosna wszyscy są zakochani a kwiaty zrywają się same. ale tylko na twoich ustach. uciekaj przede mną, bo ja już nie umknę w młodości świata przed twoją geometryczną powierzchnią.

moja miłość do ciebie nie jest z papieru, nie ma także zapisu cyfrowego, ona jest z mojego szaleństwa i z mojej starości. nie mogę pozwolić jej na wiosnę, którą odkryłem na twoich drżących ustach. widziałem cię tylko kilka razy i tylko kilka razy zapadłem się w jesień. dla ciebie jestem tylko cyborgiem, prawdziwym bezwzględnym nazistą, oprowadzam cię zatem po wiośnie w obozie zagłady, tutaj miłość nie ma przyszłości, ona ma tylko swoją teraźniejszość. to takie nieludzkie. nie ma przeszłości i nie znasz nawet mego imienia. odpytałaś mnie z geometrii pożądania i miałem rację nie mieściłem się w tobie. jestem tylko oprawcą zawieszonym w swojej teraźniejszości, a moja miłość do ciebie nie jest z papieru ani dyskietek, nie jest zapisana w mpg, ona jest z drutów kolczastych.

byłem eichmannem w jerozolimie. manchester to miasto karola marksa. tu wyzysk jest normą. wczoraj mówiłem anglikom o hannie arendt: byłem eichmannem w jerozolimie. przytulałem do siebie twoje ręce i daremnie szukałem wiosny tam gdzie kiedyś widziałem twoją twarz. odnalazłem taniec kropel uderzających o moje szkła optyczne. i jeszcze raz zapadłem się w jesień. tym razem już bez ciebie. byłem eichmannem w jerozolimie. i to dało mi szczęście. szczęście dało mi to, że rozpoznałaś we mnie eichmanna w jerozolimie. znęcałem się nad kruchością twojego ciała i to dało mi szczęście. czas skrzydlił się w twoich włosach. tym razem włosy nie były spięte. rzucone były na wolność. rzucone były na manchester, miasto karola marksa. tu wyzysk jest normą. a wolność to wolność kruszenia wiotkiego ciała w dowolnym kierunku. mówiłem o korzeniach totalitaryzmu i wreszcie na krótką chwilę poczułem się zakorzeniony w tobie. w jerozolimie.

jeszcze w lipcu przechadzałem się wśród żniw i nie przeczuwałem nawet twojego istnienia we mnie. spowalniał mnie nadmiar świata. jeszcze w sierpniu gładziłem powierzchnię morza nie przeczuwając twojej powierzchni pod nią. oślepiał mnie nadmiar światła. jeszcze niedawno nie widziałem kruchości świata i swojej mocy bezwzględnego nieruchomego nazisty. zapraszam cię do komory swojego ciała z każdym skierowanym ku tobie słowem. przechadzam się po ogrodzie oliwnym i odkrywam w sobie kroki judasza iskarioty. świat nie zastygł przed twoim ukrzyżowaniem. kamera patrzyła gdzie indziej. za chwilę poczujesz mój pocałunek a niebo skurczy się do niejasnej postaci.

nasza miłość zrodzona jest z głodu. głodu świata. swift, kafka i grass sponsorują nasze pocałunki zamartwiając się nad dietetycznymi losami ludzkości. goebbels powiedział, że polityka to sztuka czynienia możliwym tego co zdaje się być niemożliwe. podążamy za nim i karmimy swoje ciała. pieścimy je wizerunkami głodu i przejedzenia. oprowadzam cię po obozie koncentracyjnym swojej biblioteki w poszukiwaniu twojej anoreksji. jestem dobrym komendantem, pieszczę twoje ciało poszukując na nim śladów rozkoszy.

ono zastyga w skurczach głodowych twojej kruchości. poli-
tyka to sztuka czynienia możliwym tego, co zdaje się nie-
możliwe – próbuję dostać się do ciebie tą samą drogą, którą
ty próbujesz przede mną uciec.

to chyba też jest liryczne, myślisz kurwa, że można mnie
zlewać, że przemilczysz to wszystko. ja tu kurwa wchodzę
dla ciebie na szczyty swych możliwości suko, a ty to wszystko
przemilczysz i kurwa ani jednego słowa miłości mi nie ofia-
rujesz. albo kurwa przemówisz do mnie słowami miłości
w najbliższej godzinie, albo kurwa już nigdy nie będziesz
raczyła się moim wielosłowiem. wybieraj

Nigdy nie odpisałam na żadną.

31

Minęło trochę czasu od śmierci babci i nastąpił kolejny mały koniec świata. Sierpniowy koniec świata. Jednego dnia, to był piątek, przyszłam do domu, w domu była awantura, jak zawsze. Ale było więcej płaczu niż krzyku, jakaś dziwna atmosfera. Weszłam do pokoju, mama powiedziała, on chce mnie zostawić, on chce odejść, powiedz mu coś, rozmawiaj z nim, to też twoja wina. Wyszłam z pokoju i usiadłam na schodach. Mama przyszła do mnie i krzyczała, no idź mu coś powiedz, a ja krzyczałam, przestań pierdolić, że to moja wina, to kłamstwo. Czułam się bardzo dotknięta, ale poszłam z nim rozmawiać. Leżał na kanapie z zamkniętymi oczami, udawał, że śpi. Powiedziałam, Konrad, wiesz jaka jest mama, zrobiłeś scenę i ona wzięła to na poważnie, ona potrzebuje wstrząsu, żeby się zmienić, nie zachowuj się tak, wracaj. Nie odpowiedział. Poszłam spać, bo nie mogłam wytrzymać histerii.

32

Jest sierpniowe lato. Konrad zostawia matkę. Nie wiem, dokąd idzie ani gdzie to wszystko się zaczęło. Na zagadkę odpowiadam zagadką. Matka pyta go, kiedy wróci, bo chce wiedzieć, jak długo go nie będzie. I chce wiedzieć, czy kiedy jego nie ma w środku, czy dom jest wobec tego pusty.

33

Mama przekonuje się, że w cierpieniu kluczowa jest regularność i pulsowanie, obecność uporczywa jak śmiech dziecka w czasach, gdy wciąż mogą przyjść jeszcze gorsze plagi. Jeszcze mniej zasłużone. Kiedy Konrad odchodził, nic o tym nie wiedział. Teraz, kiedy odszedł, matka ma na twarzy koniec świata. Ma na twarzy całą erę atomową. Konrad zabrał z domu wszystkie swoje rzeczy. Zostawił wszystkie stare i zepsute. Powietrze zostawił lekkie, a pościel czystą. Konrad żyje tak, jakby miał żyć wiecznie. Jakby miał wiecznie tylko o tym myśleć.

Mama poszła do psychiatry i do psychologa, dostała leki, po miesiącu terapii przypominała człowieka bardziej niż kiedykolwiek. Do domu wracało życie. Życie po śmierci i po rozwodzie. Życie po życiu.

34

Zanim mama i Konrad się rozwiedli, przyszedł do domu pozew. Konrad wysłał go listem poleconym. Listonosz zostawił w skrzynce awizo, bo nie chciało mu się dzwonić do furtki. Oni zwykle tak robią. Zupełnie jakby gdzieś im się spieszyło. Jakby dzięki temu mogli szybciej przestać być listonoszami. Jakby w ogóle dało się przestać być tym, kim się po prostu jest. Jednak w przypadku takiej przesyłki przyjemniej byłoby mieć poczucie, że się ją otrzymało, a nie, że trzeba pofatygować się na pocztę, żeby ją dobrowolnie odebrać. Jeśli w ogóle można tu mówić o przyjemności. Pozew miał czternaście stron. Nie licząc tytułowej. Tak, pozew rozwodowy ma stronę tytułową. Prawdopodobnie po to, żeby nie pomylić go z żadnym innym pismem. Pozew, który wysłał matce Konrad, można by na przykład pomylić z nakazem aresztowania. Albo z wezwaniem do zapłaty. Ale takie pisma zwykle nie mają czternastu stron. W pozwie matka występowała jako Pozwana, a Konrad jako Powód. Zupełnie jakby nigdy nie mówili do siebie po imieniu. W pozwie Konrad napisał, że matka rzucała w niego przedmiotami. W pozwie było napisane, że Pozwana p o s u w a ł a   s i ę   do rzucania w Powoda przedmiotami. Nie wiem, czy posuwała się do tego, ale rzeczywiście czasem czymś rzucała. Talerzami, książkami albo telefonem. Nie używała przy tym siły. To była kobieca przemoc, czyli bezsilność. Rzucała tymi przedmiotami z czułością. Nie tak, żeby zabić. O tym Konrad w pozwie nie wspomniał. Ale nieważne. Kiedy pozew przyszedł do domu, byłyśmy z mamą na tyle zdrowe, że mogłyśmy się razem z niego śmiać.

35

Rozmiar rzeczywistości trochę mnie przeraża. Nie jestem w stanie przyswoić wszystkich informacji, które do mnie lgną, moje zamiłowanie do konkretów powoli zmienia się obsesję świadomości. Poza melancholią miewam też jakieś chwilowe zainteresowania. Ostatnio często parzę sobie herbatę. Potem wychodzę na taras i spijam herbatę znad fusów.

Ostatnio często czuję kłucie w żebrach, koleżanka powiedziała mi, że to może być choroba, że o tej chorobie mówi się serce, serce i powikłania, ale to równie dobrze może być coś innego. Powiedziała też wtedy, spałam z nim, ale się nie dotykaliśmy, wiesz, mamy takie swoje powiedzenia, na przykład jak on mówi, że mam otręby pszenne w głowie, to jest taki komplement i jest mi wtedy miło, i potem najczęściej on przychodzi do mnie, moje współlokatorki się mnie boją, wiesz, one kupują mąkę i jajka, i mięso, i robią z tego ciasto, a potem farsz, same robią pierogi, ja czytam literaturę niemiecką, a ty jaką czytasz, bo ja niemiecką, polską już całą przeczytałam.

Wciąż czasem piszę wiersze, ale już rzadziej, jestem wystarczająco szczęśliwa, żeby nie pisać. Zamiast wierszy piszę inne rzeczy, ale nie wiem, czym są. Napisałam na przykład:

babcia miała dom blisko parku. dom porastał bluszcz, jego liście lśniły. w ogrodzeniu były dziury i nie było bluszczu, w ogrodzie lęgły się brązowe i jasne zwierzęta. niektóre rodziły się ślepe i krzyczały. reszta rodziła się głucha. babcia nosiła wodę ze studni. w wiadrach topiła jasne zwierzęta, brązowe brała do domu. dom był pełen brązowej sierści, koty polowały na śmierć. babcia nosiła śmierć do studni z powrotem. wiadra parowały, woda w nich lśniła. dom stał przy torach. pociągi nosiły ludzi z twarzami w oknach. czasem nosiły węgiel. pleśń rytmicznie wżerała się w tynk. babcia miała nadgarstki we wzory z wypukłych żył. kiedy jej ręce mdlały, nie były już jej własne. kiedyś babcia chciała siebie zobaczyć. żeby siebie zobaczyć musiała nalać wiadro pełne wody. w wodzie pływała jasna sierść. babcia patrzyła w wodę, widziała ciemne dno, nie widziała twarzy. nad dnem pływała zwiędła skóra, kołysały się przebarwienia. to nie była głębia. w wodzie pływało niebo, babcia wylała niebo na drogę i kurz w nie wsiąkł. droga wchłonęła niebo. babcia wsunęła stopy w wełniane skarpety. ziemia robiła się od dołu coraz cieplejsza. babcia głaskała koce, na któ-

rych była sierść. tych, które były czyste, nie głaskała. koty żyły tak długo, jak długo mogły być głodne. przestawały być ślepe i od razu zaczynały być inne. sierść wybarwiała się im po śmierci, chociaż już nie rosła. babcia gładziła sierść we wszystkich kierunkach. koty zimne pod sierścią nie mruczały. w domu były same brązowe zwierzęta i jedno całkiem rude. babcia ułożyła zwierzęta w wiadrze, rude położyła na wierzchu. wymieniła zwierzęta z ziemią. babcia miała kiedyś dziecko, które nie miało potem matki. dziecko nie było z ziemi, czy było z mężczyzny, babcia nie pamiętała. dziecko było z kobiety, bo wyszło z jej brzucha, to była jego droga. rosło w brzuchu tłuste jak tłusty rośnie w jabłku robak, a kiedy wyszło, brzuch został pusty i zepsuty. ściany w domu rodziły pleśń. wszędzie miały swój wilgotny brzuch. w podłodze brakowało klepek, ale tylko kilku. w miejscu pustym od klepek był szary tynk. babcia nie dała dziecku imienia.

36

Siedzę na ławce przed domem, przez kraty parkanu obserwuję jedyne dziecko na osiedlu. Patrzę, jak dziecko trzyma w dłoni patyk, jak patykiem rysuje w kurzu, jak je dojrzałe śliwki brudnymi rękami i patrzy w kierunku, z którego zbliża się jego matka. Jego matka mówi, w co się bawiłeś, dlaczego chowasz do kieszeni piasek. Dziecko mówi, w miasteczka małych domków. Wypluwa pestkę i patykiem zagrzebuje ją w ziemi. Myślę, kiedy wieczorem będzie zasypiać splątane snami, z pestki urośnie mu drzewo.

Wychodzę z domu i idę kilka kroków wzdłuż ogrodzenia. Sąsiad zamiata chodnik i nuci piosenkę, nuci melodię, bo piosenka nie ma słów. Podobno sąsiad nie rozmawiał z moją rodziną przez trzydzieści lat, a zaczął się odzywać niedawno. Matka mówiła mi, sąsiad jest stary i złośliwy, on dzwoni po straż miejską, kiedy kosimy trawnik w niedzielę, to nie jest Holandia, żeby na siebie donosić. Matka mówiła mi, sąsiad jest stary i niewdzięczny, kiedy się tu wprowadził, daliśmy mu naszą starą furtkę i bramę i postawiliśmy parkan. Teraz z każdej strony jest nasz płot. Idę kilka kroków w stronę sąsiada i zawracam w kierunku, z którego przyszłam. Sąsiad mówi do mnie, kto nie ma w głowie, ten ma w nogach.

37

W nocy nie mogłam zasnąć, pies spał koło mnie. Pies oddychał głośno, ząbki miał jak szpilki, oczka miał jak ząbki. Nie mogłam zasnąć, koło mnie spały ostrza. Patrzyłam na ścianę, na regał, na ścianę. Flaming na obrazku skłaniał się ku tafli. Gdyby obrazek był inny, flaming dotykałby tafli dziobem. Dziób mógł być narysowany w wodzie.

38

Rano przed lustrem modeluję włosy, nawijam pasma kolejno na okrągłą szczotkę zgodnie z kierunkiem, w którym rośnie obojczyk, żeby złączyć się z mostkiem. Nawijam i przeciągam, patrzę na kobietę w lustrze. Widzę młodą kobietę, ale wiem, że jej szpik jest już całkiem żółty. Wiem, że regularnie plami bieliznę na powtarzalne odcienie, że zna swoje ciało dość dobrze, by odróżnić zdrowie od choroby. Czas zmienił kierunek i zaczął płynąć w koło. Teraz codziennie znajduję w umywalce te same, własne włosy, które gubię codziennie i które codziennie rosną nowe.

39

Jadę taksówką, rozmawiam z kierowcą. Ma bluzę z koł-
nierzem ze sztucznego futra i butelkę żurawinowego jogurtu przy sobie. Jogurt pomaga przetrwać noc, mówi,
ale nie pomaga przetrwać dnia, wie pani, przez większość
czasu jestem smutny, a przez resztę czasu jestem smutny
i wkurwiony. Wie pani, co ja robię w życiu oprócz stania
w korkach, no nic, to jest cała treść, stanie w korkach
i powolne poruszanie się w korkach, ruch uliczny, światła, pijane nastolatki w butach na obcasach dłuższych
od ich własnych nóg, sezonowe przeboje w radiu, wie
pani, ja nie żyję, nie mam szans, ja radzę sobie z życiem.
I zarabiam na chleb, w dodatku nie na swój.

40

Jestem szczęśliwą kobietą. Zachowuję się jak szczęśliwa kobieta. Nie wiem, o co chodzi, może o to, że wszystko jakoś się układa. Bez większych porażek. Zima jest ciężka, ale w kurtce nie marznę, łykam witaminy, więc moje włosy i paznokcie są mocne, czuję się piękna, silna i chce mi się żyć. Chce mi się robić wszystko. Mam tysiąc adoratorów i jeden poważniejszy romans. Romans trwa od trzech miesięcy i jest tajemnicą. Jest tajemnicą, bo nie powinien istnieć. Nie powinnam mieć romansu z trzydziestoletnim, bogatym, przystojnym, żonatym mężczyzną. Ale mam. Mam z nim całkiem gorący romans. Już nie pamiętam, jak to się zaczęło, jakkolwiek, nieważne. Spotykam się z nim rzadko i w totalnej konspiracji, jeździmy jego samochodem i rozmawiamy, a kiedy napięcie robi się nie do zniesienia, on zatrzymuje samochód i to jest już tylko ogień, całujemy się i dotykamy panicznie, a potem czuję jego ręce na sobie jeszcze przez kilka godzin. Czasem spotykamy się w wynajętym mieszkaniu. Poza tym piszemy do siebie. Głównie maile. O wszystkim. Chcemy wiedzieć o sobie wzajemnie, nie chcemy wiedzieć o nas razem. Nie ma możliwości ruchu w żadną stronę, to jest romans z definicji, ma swój początek i finał, swoje kontury i plan wydarzeń. Jest czekaniem na koniec.

ostatnio ktoś powiedział mi, że jestem kobietą fatalną
a ja nie wiedziałam, co miał na myśli i nie wiem do tej pory.
wprawdzie w roli kobiety czuję się raczej fatalna, ale
chodziło chyba o coś innego.
może to był komplement. no bo właściwie
dobrze wyglądam, często się uśmiecham. często i ładnie.
ostatnio ktoś powiedział mi, że jestem kobietą fatalną,
a ja śmiałam się z jego żartu.
potem miałam pod nim ciepłe i cierpliwe ciało.

41

W sylwestra poznaję całkiem fajnego chłopaka. Nazywa się Robert. Nawet mi się podoba. Chociaż nie do końca. Ale w sumie jest w porządku. Jest też dość nachalny. Postanawiam dać mu szansę. Sama nie robię nic, szansa polega na tym, że pozwalam mu na to, czego chce. Pozwalam mu przyjechać pod mój dom i zabrać mnie na randkę. Słucham jego nerwowych opowieści i pozwalam mu słuchać moich. Piję kupione przez niego drinki i palę papierosy. Powoli kiełkują we mnie ciepłe uczucia. Cieszę się z tego, bo zapomniałam już o uczuciach, przez długi czas miałam do czynienia tylko z pożądaniem. Postanawiam definitywnie zakończyć mój romans z żonatym trzydziestolatkiem. Wydaje mi się, że będę w normalnym związku. Zdrowym. Z chłopakiem, którego lubią moi rodzice. Z chłopakiem, który przynosi mi kwiaty, dzwoni bez przerwy, jest odrobinę irytujący i bywa żenujący. Jednego wieczoru zapraszam go do siebie. Zakładam najlepszą bieliznę i cała jestem piękna. Idziemy do łóżka i jestem zupełnie załamana. Czuję się, jakbym była w filmie, wszystko, co robię, jest kłamstwem. Wszystko, nawet czułość. Im śmielej on mnie dotyka, tym bardziej robi mi się go żal. Przytulam się, żeby nie widział moich pustych oczu. On mówi, kocham cię. Mówi, wiem, że to głupie, znamy się tak krótko, ale naprawdę, Dominika. Uśmiecham się, szukam w sobie jakiejś empatii, właściwie nie wiem po co. W temacie miłości nie mam nic do powiedzenia.

42

Parę dni później zupełnie przypadkiem umawiam się na randkę z pisarzem. Z poetą. Kimkolwiek. Właściwie to on umawia się ze mną na randkę, ja umawiam się z nim tylko po to, żeby go obejrzeć i opowiedzieć koleżankom. Jednej koleżance, bo tylko jedna interesuje się pisarzami. Mówię o tym Robertowi i mówię, że nie ma powodu do zazdrości. On wierzy. Sama też w to wierzę. Jest wtorek, spotykam się z pisarzem, widzę go w drzwiach i nadal w to wierzę. Nie podoba mi się raczej. Wygląda jak dziecko, kiedy mówi, jakoś dziwnie drży mu policzek, ma wadę wymowy i głupio się śmieje. Podoba mi się tylko jego głos. Siadamy na kanapie, on je kanapkę z rukolą i pije sok z marchwi, słucha, co mówię, i ciągle na mnie patrzy, a ja ciągle patrzę w drugą stronę albo przed siebie. Wszędzie, tylko nie w oczy. Żegnamy się, nie mam żadnych wrażeń. Koleżance i Robertowi mówię, że nie mam żadnych wrażeń w związku z pisarzem. Nie rozumiem poruszenia wokół tego spotkania. Pytam koleżankę, czy on jest znanym pisarzem. Ona mówi, raczej tak. Pytam, czy jest dobrym pisarzem. Ona mówi, raczej nie.

43

Jest środa, rano spotykam się z moim żonatym kochankiem, jedziemy do mieszkania i oglądamy razem telewizję. Wieczorem idę z Robertem na imprezę do klubu, ale szybko wychodzimy i jedziemy do niego. W łóżku jest trochę mniej tragicznie niż za pierwszym razem, ale nadal tragicznie. Nie mogę patrzeć na jego ciało, wydaje mi się obrzydliwe. Chude, blade i niezdrowe. Wracam do domu, idę spać. Śpię dobrze, ale krótko. Następnego dnia rano idę na śniadanie z pisarzem. Znowu wcale na niego nie patrzę, coś tam mówię, nagle on mnie całuje. Całuje jakoś dziwnie, po chwili przestaje. Udaję, że nic się nie stało. Mam nadzieję, że coś mu się pomyliło. Chociaż nie wiem, co mogło mu się pomylić. Zaczynam się martwić, że będę musiała mu tłumaczyć, że nie będę jego dziewczyną. Często muszę to komuś tłumaczyć, a nie umiem tego robić delikatnie ani dyplomatycznie. Żegnamy się. Tutaj zaczyna się nieporozumienie. Tego samego dnia przychodzę do mojego pisarza do pracy. Siedzę tam kilka godzin. Rozmawiamy, on mnie całuje, a kiedy mnie całuje, moje ciało sztywnieje i działa niezależnie od woli. Bardzo nie chce się do niego zbliżyć. Nie słucham ciała. Wracam do domu i nie wiem, co myślę. Najpierw myślę, żeby mieć dwóch chłopaków jednocześnie. Mówię o tym koleżance. Ona mówi, to popsuje ci karmę. Mówi, złe rzeczy wracają. Wierzę jej. Płaczę, bo nie wiem, co robić. Nie wiem dlaczego, ale czuję, że z pisarzem będę szczęśliwa. Podejmuję decyzję. Piszę Robertowi, że musimy porozmawiać. Wiem, że od razu się zdenerwuje i nie będzie czekał z rozmową. Liczę na to, że uda mi się załatwić to przez telefon, przy odrobinie szczęścia może nawet przez smsy. Udaje się. Robert jest załamany. Nie rozumie, o co chodzi. Myśli, że to chwilowa zmiana nastroju. Wcale nie domyśla się prawdziwej przyczyny. Jeszcze przez parę dni pisze i dzwoni. Nie odpowiadam i nie odbieram. Wciąż pyta o powód. W końcu mam go dość, jest mi wszystko jedno, jak bardzo go zranię. Mówię, jeśli koniecznie chcesz znać powód, to powodem jest pisarz. On mówi, jesteś wredną suką, która zmienia zdanie co pięć minut. Powtarzam to mojemu pisarzowi. Śmieje się. Ja też się śmieję. Nie wiem jak on, ale ja śmieję się z prawdy. Prawdopodobnie śmiejemy się z różnych rzeczy.

Na początku jest dziwnie. Nie ufam, nie czuję się bezpiecznie. Ani trochę. Uważam na słowa. Składam podejrzanie poprawne wypowiedzi. Czuję się na każdym kroku oceniana. Nie mam przewagi i nie umiem się do tego przyzwyczaić. Jestem go prawdziwie ciekawa, chcę o nim wiedzieć, chcę słuchać. Nie chcę, żeby mnie dotykał. Nie wierzę w szczerość jego gestów. Ale z każdym kolejnym powoli się przełamuję. W końcu podchodzę do niego sama i kładę głowę na jego ramieniu. Przekonuję się, że to możliwe. Zakochuję się, chociaż nie chcę. Postanawiam, że nigdy się nie otworzę, nie zaufam, nie odkryję przed nim. Postanawiam tak, bo czuję, że tracę dystans. Tracę dystans do człowieka, który jest wystarczająco mądry, by mnie skrzywdzić. Potem jest tylko gorzej. Czytam wywiad z nim w jakimś kolorowym magazynie. Czytam, że nie potrafi się w nic zaangażować, że często spotyka fajne dziewczyny, a po jakimś czasie spotyka fajniejsze, i czytam jeszcze dużo innych rzeczy, których nie chcę wiedzieć. Nie biorę tego do siebie. Myślę, to tylko wywiad, to tylko słowa, że jak się jest pisarzem, to się mówi różne rzeczy i one różnie znaczą.

mój chłopak napisał na fb: z nim będziesz szczęśliwsza. to był jego status. pewnie miał rację. o cokolwiek chodziło. mimo wszystko staram się być z nim szczęśliwa. poza tym staram się tak bardzo tylko wtedy, gdy próbuję sobie przypomnieć sen
po otwarciu oczu. mam jeszcze inne sposoby na szczęście. wciągam powietrze i słyszę czyjś oddech. nie swój.

zrobiłam w życiu dużo głupich rzeczy, ustawiłam na facebooku dużo głupich statusów, przespałam się z wieloma kretynami. potem zakochałam się

w chłopcu, który pisał wiersze prawie tak dobre jak moje.
wiersze tak dobre jak potrafił. i wszyscy mi zazdrościli.
i nikt nie mógł uwierzyć jaki ten chłopak życiowy.

Przez kilka dni jestem bardzo zakochana. O niczym innym nie myślę, prawie nic nie jem, jestem szczęśliwa. Chodzimy na randki, pijemy piwo i jest po prostu dobrze. Jest dobrze, kiedy jesteśmy sami. Kiedy spotykamy jego znajomych, przestaje być dobrze. Spotykamy zblazowanych artystów, którzy opowiadają o tym, co zrobili lub zrobią. Spotykamy ludzi bez życia. Niektórzy podchodzą do nas i nawet się ze mną nie witają. Nie podobają mi się i nie podoba mi się, jak on się zmienia w ich towarzystwie. Czuję się niepotrzebna, zresztą zgodnie z prawdą. Te spotkania kończą się różnie. Czasem płaczę, czasem wcale się nie odzywam i po prostu siedzę, czasem wychodzę i stwierdzam, że idę do domu. Jadę przystanek albo dwa i wracam. Wcale nie chcę do niego wracać, ale wracam, bo jeśli nie wrócę, będę cały wieczór sama i smutna. A wolę być tylko smutna.

kupiłam bilety na pociąg, kupiłam je za pół ceny.
to było w 50-lecie pigułki antykoncepcyjnej, powiedzieli tak w radiu.
nikt nie powiedział z jakiej okazji była promocja biletów.
może to nie było ważne. kasjerka miała duże cycki.
mój chłopak takie lubi. pomyślałam więc: skąd je masz kurwo?
mam małe cycki. mój chłopak je lubi, w końcu może ich dotykać bez pytania.

to też jest taka promocja, tylko trochę inna.

na tym polega związek i to nie ma nic wspólnego z przed-
miotowym traktowaniem.

mój chłopak bywa czasem kochany. gdyby nie powie-
dział mi kilku rzeczy,
nie wiedziałabym. gdyby nie powiedział,
że nóż do masła to taki, który nie nadaje się do chleba.

Mija kilkanaście dni, zaczynam się o siebie martwić.
Mój pisarz przestaje wydawać mi się słodki, staje się
w moich oczach trochę żałosnym narcyzem aspirują-
cym do roli playboya. Lubi wspominać o swoich by-
łych dziewczynach, od razu daje mi znać, że nie było
ich mało, komentuje laski, a szczególnie ich cycki, nie
oszczędza mi też informacji o tym, z kim chciałby się
przespać i z kim zdążył już to zrobić. Nie reaguję, chociaż trochę mnie to dotyka. Z drugiej strony nie chce
mi się w to wierzyć. Mówię, przestań serwować mi takie
opowieści. On mówi, martwi cię to, że rozkochuję w sobie laski, a potem je rzucam? Zaczynam się martwić, że
mój chłopak jest żałosny. Wybaczam mu to, ale jest mi
trochę dziwnie. Przychodzę do niego do pracy, siadam
na podłodze i płaczę. Boję się o siebie, boję się, że jestem
zabawką. W końcu mówię, boję się, że to są jakieś żarty.
On uśmiecha się, całuje mnie i mówi, i co, myślisz, że jutro ci powiem, że żartowałem. Nie, odpowiadam, nie rób
mi krzywdy, proszę. On mówi, nie zrobię, zależy mi. Po
tej rozmowie już mniej się martwię. Wracam do domu.
Czytam dwie wiadomości. Jedną od mojego chłopaka,
zwraca się w niej do mnie „skarbie", czytam kilka razy,

bo nie mogę w to uwierzyć. Drugą od żonatego kochanka, który nie odzywał się do mnie, odkąd napisałam, że się zakochałam i musimy zakończyć znajomość. Napisał:

Może seks na pożegnanie?

Chcę odpisać: „nie". Odpisuję:

Gdzie i kiedy?

Następnego dnia rano jedziemy do mieszkania, zrywamy z siebie ubrania, seks jest histeryczny, cudowny, szyby w oknach parują. Potem leżymy koło siebie i patrzymy w sufit. On mówi, nie masz wyrzutów sumienia. Odpowiadam, nie mam. Naprawdę nie mam. On pyta, po co to robisz, skoro mówisz, że jesteś zakochana. Odpowiadam, jestem zakochana za bardzo, chcę nabrać dystansu. On pyta, i co, udało się. Odpowiadam, chyba nie. Ubieramy się, on pokazuje mi zdjęcia swojej córki na komórce, potem podwozi mnie do centrum. Idę prosto do mojego chłopaka. Wszystko jest normalnie.

Jest zimowy wieczór, połowa lutego, siedzę z przyjaciółką w pokoju w Hiltonie i pijemy białe martini. Jesteśmy pijane, śmiejemy się, widzę swoje odbicie w lustrze i widzę piękną kobietę. Potem spotykam się z moim chłopakiem, nie mamy pomysłu, gdzie pójść, on proponuje, żebyśmy poszli do niego. Zgadzam się i mówię, nie chcę iść do łóżka. On mówi, nie musimy iść do łóżka. Jedziemy do niego autobusem, ciężko mi stać, jestem bardzo pijana. Jego mieszkanie jest małe i duszne. Siada-

my na kanapie i zaczynamy się całować, mówię, kochaj
się ze mną. On mówi, jesteś pijana. Mówię, co z tego,
kochaj się ze mną. On mówi, jesteś pijana, na pewno
chcesz teraz, pyta. Mam na sobie stanik pożyczony od
mamy i trochę jest mi z tym głupio. Ale skąd on mógłby wiedzieć. Nie jestem bardzo podniecona, jestem normalnie podniecona, bardziej działa na mnie alkohol niż
chłopak. Nie ma szału, ale nie jest też źle, nie patrzę mu
w oczy, spojrzałam tylko na chwilę i przestraszyłam się
ich, bo były całe czarne, jakby rozlały się w nich źrenice.
On pyta, mogę skończyć. Odpowiadam, tak. On kończy.

44

Tej zimy szukam ciepła na wyspie obcego kraju. Ziemia pod moimi stopami powstała z lawy, to wyschnięte serce wulkanu, które, nim zastygło, było płynne i gorące. Kiedy pękło, rozsypało się w ostry żwir. Rośliny tej wyspy wrastają w żwir i wrastają do wewnątrz, są nerwami tej ziemi. Trzymają skałę w całości, powierzchnia daje się przesypać przez palce.

Wyspa jest pełna starych ludzi. Starzy ludzie zbierają się nad wodą i mają przebarwioną skórę, a niebo jest dla nich czyste, a słońce zdradliwe. Starzy ludzie zbliżają się do wody, ale nie zanurzają się nigdy. Dotykają tafli palcami stóp. Od ich palców pochodzą kręgi zaburzeń, które pęcznieją na wodzie i znikają.

Od słońca ocean robi się szmaragdowy i przejrzysty. Od deszczu robi się głęboki.

Ktoś mówi do mnie, zobacz, gołębie się kąpią, wskazuje wzrokiem ptaki ze skrzydłami w wodzie. To nie są gołębie, mówię, to są wróble. On mówi, wydaje ci się, nieważne, wykąpały się.

Pada deszcz. Kiedy deszcz uderza o taflę oceanu, robi się niebieski. Niebieski to nie jest kolor, bo wszystko jest takie.

45

Jest wiosna i chyba wszyscy jesteśmy zakochani, a kiedy zajdzie słońce, mamy alkohol i narkotyki. Jesteśmy ciągle bezpieczni.

46

Przyjaciółka powiedziała mi, jeżeli coś kochasz, to weź
to i wyrzuć.

47

Jakoś się układa, są gorsze momenty, ale między nami jest raczej dobrze. Od stanu naszej relacji uzależniam mój humor. Do liceum nie chodzę już prawie wcale. Codziennie rano przychodzę do mojego chłopaka, kiedy jeszcze śpi, kładę się obok w ubraniu i śpimy razem jeszcze godzinę albo pół, a potem się kochamy albo nie. Seks jest w porządku, chociaż bez większego ognia. Jest trochę nudny, ale inny i lepszy niż ten, który znałam wcześniej. Jest w nim bliskość i czułość. W ogóle mój chłopak dużo mnie przytula i jest mi wtedy dobrze. Kiedy kochamy się rano, cały dzień jestem potem rozkojarzona. Czyli jestem rozkojarzona prawie codziennie. Dni są podobne, każdy kolejny jest podobny do poprzedniego. Przychodzę rano, kochamy się, wychodzę, idę do liceum, przychodzę do pracy do mojego chłopaka, siadam na podłodze i uczę się do matury. Wieczory spędzamy razem lub osobno. Różnie. W weekendy sypiam u niego i jemy razem śniadanie. On idzie po bułki, ja ścielę łóżko, on robi mi kanapki, ja zmywam naczynia, potem myjemy razem zęby w łazience.

Kiedy jest mi smutno, piszę jakieś wiersze, trochę o nim, a trochę dla niego. Piszę na przykład:

już kolejny powrót łagodny i pewny, jestem w tym miejscu,
nie chcę widzieć innych. korytarz jest wąski, nic, tylko się mijać,
podobnie z pościelą – cudza, ale ciepła, chce się do niej wracać,
niejasno przypuszczać, przybliżać obrazek; była niemą statystką czy głośno krzyczała?
podłoga służy tylko do sprzątania (zabierz swoje rzeczy i sama kup kwiaty),
taksówki jeżdżą szybko, bo jest piąta rano.
od teraz coraz lepiej będzie już ze światłem.

Albo:

drzwi są zamknięte, stoją pionowe i wysokie. wcale nie chcę wchodzić,
wolałabym wrócić drogą, którą przyszłam, ale
wiem, że z powrotem stopy musiałabym stawiać ciszej niż w kierunku przed siebie.
to niemożliwe, więc otwieram drzwi i wypuszczam zza nich ukośne światło.
wchodzę z ukośnym światłem na twarzy, mówię, piękny dziś dzień, nie uważasz.

on mówi, tak, cieszę się, że przyszłaś i cieszy się z tego,
a moje ciało jest pod nim ciepłe. potem on pije herbatę,
a ja
    siadam na skraju krzesła ze skrzyżowanymi nogami.
wszystko w moim ciele wraca na swoje miejsce, układa
się wobec niepewności.
    porażki przyjmują swoje stałe, zamknięte pozycje.

Albo:

    w szufladach mam dużo ubrań, ale niewiele mam ta-
kich, które
    nie leżały na jego podłodze zwinięte w rozpaczliwe kłęby.
    nie mam już ubrań, których ze mnie nie zdejmował.
    odkąd go poznałam,
    wszystko się zmieniło. rzadko bywam w domu, nie mam
czasu sprzątać.
    na meblach zwierzęta zostawiają całe kłęby sierści. ostatnio
    postępuję coraz bardziej radykalnie, redukuję czynności
do niezbędnych ruchów.
    wypuszczam psa do ogrodu zamiast iść na spacer, do
czajnika nalewam trochę
    więcej wody, żeby wystarczyło na więcej niż dwie kawy.
łóżko ścielę rzadko.
    wolałabym w nim nie spać. odkąd go poznałam, wszyst-
ko się zmieniło.
    dziś cały dzień w kuchni wyjmuję tabletki z blistrów.
i zastanawiam się
    jaka to jest czułość, kiedy mi to robi, że nie umiem my-
śleć inaczej

niż w trzeciej osobie (ona jest szczęśliwa, ona budzi się w nocy i nie może zasnąć).

czas spędzamy razem patrząc w swoje telefony i zadając sobie nieważne pytania,

powtarzając słowa. pytam też o rzeczy, których nie chcę wiedzieć,

prawdę umiem pisać tylko w wiadomościach. mogę potem mówić:

to był mój zły nastrój, wszystko jest w porządku, wybacz, zapomnij,

nie chcę mieć pretensji, mogę się tłumaczyć, żeby łatwiej wracać,

iść prosto do szatni, zamiast się w niej plątać, myśleć, że on się cieszy

i rozmawiać z nim patrząc wszędzie wokół. z dotychczasowych wniosków

pamiętam niewiele. głównie twarze ludzi, których poznaję

przez uścisk dłoni, to jest jakiś kontekst dla każdej rozmowy,

chyba w żadnym szerszym nie umiałabym się znaleźć. nie dałabym rady.

podobnie wieczorem; nie mogę zasnąć, więc nie śpię prawie wcale,

jestem wtedy dumna z każdej chwili bez myśli o nim, a takich chwil

nie jest wiele i są krótkie. za krótkie. potem myślę sobie jak bardzo to głupie, pisać jakieś teksty, bo się kogoś kocha, co to w ogóle za pomysł,

żadne rozwiązanie, po co miłość chce się brać za słowa, skoro jest już wszędzie *i nie ma na nią żadnych sposobów. nie ma dobrych zakończeń.*

może oprócz jednego, oprócz tego, w którym on byłby zabawką, a ja byłabym żartem.

kiedy się kocha to musi być trochę niepoważne, kiedy nie ma się nic w rękach

to chce się mieć cokolwiek. to tak samo jak z rysowaniem z nudów w pustych zeszytach –

każdy tak robi; długopisem, na kartkach, które raczej nie powinny być pomazane.

no nieważne, może trochę wstecz; noc była długa, bo całą noc nie spałam.

ominęło mnie kilka snów o ślubach w bardzo brzydkich sukniach. co mogło być – było.

mimo to ciągle przychodzę na palcach, przychodzę po więcej, szukam czegoś dla siebie na jego półkach i w książkach. to mętne preteksty.

oswaja mnie ukośne światło na krawędziach żaluzji, ślizga się, szepcze:

nie odsłaniaj okien, więc tego nie robię. gdyby w pokoju wisiało lustro,

wydawałby się większy. byłby dla mnie wygodniejszą klatką.

Jesteśmy razem już prawie dwa miesiące. Zdradziłam go kilka razy. Z kilkoma mężczyznami. Nie pamiętam po co, chyba bez powodu. Nieważne. Jest koniec marca, mój chłopak ma urodziny. Stawia wódkę, pijemy wódkę, idziemy do domu, kochamy się, idziemy spać. Zawsze zasypiamy przytuleni do siebie. Zawsze. Myślę, mój chłopak ma urodziny, powiem mu, że go kocham, będzie mu miło. Właściwie myślę, że go kocham. Myślę tak dlatego, że to, co jest w nim brzydkie, wydaje mi się słodkie. Kocham jego brzuch od piwa i jego biedne, niemęskie ciało. Kocham całą sieć naczyń widocznych pod jego cienką skórą. On cały wygląda w moich oczach jak bite dziecko, które nosi wciąż ból blisko przy skórze. Wydaje mi się, że kiedy go głaszczę, jego ciało robi się od tego lepsze. Zmienia jakość. Mówię, wiesz co. On mówi, co. Mówię, kocham cię. On mówi, no co ty, bez sensu, ja też cię trochę kocham. Mówi to w taki sposób, jakby rzucał mi ochłap. Biorę ochłap w ręce i kładę go pod głowę. Na nim leży moja głowa, kiedy zasypiam.

Mój chłopak mówi, że nie ma miłości, a ja czuję, że jest. Jego miłość do mnie, ona jest z zewnątrz. To jest miłość praktyczna, zrobiona z czynności. Ona jest w naszych wspólnych posiłkach i w naszych wspólnych kąpielach, i jest wtedy, kiedy jedziemy windą i patrzymy razem w lustro. Czuję się kochana przez jego gesty. Przez jego słowa czuję się niekochana. Moja miłość do niego to jest miłość skończona.

Parę dni później pierwszy raz widzę mojego chłopaka smutnego. Widzę go zdenerwowanego. Jest powód. Okazuje się, że jego książka ukaże się później niż planowano. Mój chłopak jest smutny, bo coś nie zadziałało. Staram się jakoś poprawić mu humor, ale nie mam takiej mocy. Nie wpływam na jego nastrój. W ogóle wydaje mi się, że to bez znaczenia, czy jestem, czy nie. Kiedy płaczę przez niego, on nie robi się smutny.

48

Wychodzi jego nowa książka. Dostaję od niego egzemplarz. Zaczynam czytać od razu. Płaczę i nie mogę przestać. Czytam o tym, że relacje są bez sensu i nigdy się nie udają. Czytam o jego dziewczynach, o których i tak słucham na co dzień, czytam słowa, które usłyszę, i słowa, które wypowiadam albo wypowiem, czytam o sofie, na której codziennie leżę, i to, co czytam, to same złe rzeczy. Z jego książki dowiaduję się, gdzie jest moje miejsce. Dowiaduję się też, że według wszystkich przesłanek zbliża się nasze rozstanie. *Deadline.* Chcę przygotować się i odejść. Albo spróbować zrozumieć i zostać. Próbuję. Przychodzę do mojego chłopaka, płaczę. Nie umiem powiedzieć, o co mi chodzi. Nie umiem mu tak wprost powiedzieć, że chodzi tylko o to, że wzięłam wszystko, co napisał w swojej książce, do siebie, więc właściwie nie mówię, co się stało. Jestem bardzo smutna i okazuje się, że jeszcze trochę pobędę, bo on na wieczór umówił się z koleżankami. Zwykle kiedy między nami jest jakieś napięcie i liczę na to, że spędzimy miło razem czas i uda nam się je załagodzić, okazuje się, że akurat umówił się z kimś innym. W perspektywie mam długi wieczór w towarzystwie łez. W ostatniej chwili jednak decyduję się spotkać z kolegą. Kolega jest brzydkim i niezbyt rozgarniętym prawnikiem i wciąż opowiada o swojej pracy. Wszystko mnie w nim irytuje – jego słownictwo, enigmatyczne formułki, denny dowcip, dwuznaczne sugestie. Ale przynajmniej zawsze stawia piwo, więc czasem się z nim spotykam. Rozmawiamy, poprawiam sobie nastrój, widząc, że nie może oderwać ode mnie wzroku. Potem odprowadza mnie na przystanek. Podjeżdża mój autobus, drzwi się otwierają. Łapię mojego prawnika za kurtkę, przyciągam do siebie i całuję. Nie wiem, po co to robię. Odwracam się bez słowa i jadę do domu.

Jakaś dziewczyna pyta mnie, czy mogę dać jej książkę mojego chłopaka. Mówię, że nie bardzo. Dziewczyna jest nijaką blondynką, nie ma w niej nic charakterystycznego. Mój chłopak przychodzi, daje jej książkę, ona odchodzi. Idziemy razem na kolację. Nadal jestem smutna przez książkę. Pijemy piwo i jemy kanapki. Im więcej piję, tym bardziej jestem smutna. Kiedy jestem trzeźwa, myśli stoją w głowie na baczność. Moje myśli na trzeźwo to właściwie tłumaczenie sobie różnych zjawisk. Usprawiedliwianie. Kiedy jestem pijana, myśli układają się poziomo, jedna na drugiej. Męczą i pulsują w skroniach. Mówię, nie chcę być już twoją dziewczyną, nie potrafię po tym, co przeczytałam, nie traktujesz mnie poważnie, nie chcę być po prostu kolejna. Odwracam głowę i płaczę. On mówi, ale nie rozumiem, na przykład ta dziewczyna, którą dzisiaj poznałaś, ona też była trochę moją dziewczyną, ona też czyta moje książki i jakoś nie bierze ich do siebie, poza tym ty miałaś więcej chłopaków. Jest jeszcze gorzej. Kolejna. Wszędzie jego dziewczyny. Przeraża mnie świadomość, że dziewczyny, które poznaję, leżały w tej samej pościeli. Zastanawiam się, czy on ją w ogóle kiedykolwiek wyprał. Płacz jeszcze mocniej oplata się wokół mojej krtani. Dusi. On pyta, dobrze się ze sobą bawisz. Wstaję i wybiegam z lokalu, siadam na ławce trochę dalej. On dzwoni. Pyta, gdzie jesteś, wrócisz. Mówię, tu jestem. Przychodzi do mnie, uspokajam się. Uspokajam się, bo mam dość bólu. Robię to dla siebie. Nie dla nas. Wracam do domu. Piszę do niego:

Ale wciąż serce, prawda?

W odpowiedzi dostaję:

No nie wiem. Małe serduszko.

Przez to czuję się jeszcze gorzej. Kiedy jestem miła, on lubi mnie bardziej. Kiedy cierpię przez niego, jestem niemiła, więc on lubi mnie mniej. Prosta zależność.

49

Staramy się, żeby z powrotem się poukładało. Udaje się. Przychodzi dobry okres. Uczę się ufać. Przestaję czuć się zagrożona. Wcześniej czułam się zagrożona ciągle, jak inaczej miałam się czuć, skoro mojemu chłopakowi podobają się właściwie wszystkie dziewczyny. Nawet te najbrzydsze. Czułam się zagrożona, ale przestaję. Dostrzegam, że mu zależy. Robi dla mnie dużo dobrych rzeczy. Jest ciepły, bywa słodki, dba o mnie. Jestem z nim naprawdę szczęśliwa. Wprawdzie nasze wspólne wyjścia i spotkania z jego znajomymi zwykle kończą się awanturami, ale to jakoś znacząco nie rzutuje na nasz związek. Rzadko płaczę.

wczoraj znowu nocowałam u mojego chłopaka i zostawiłam u niego

dużo rzeczy. spytałam, czy mogę, powiedział, że tak.
teraz jestem w domu i jestem niespokojna.
martwię się o moje rzeczy. cały czas o nich myślę. o mo-
ich kosmetykach
w jego łazience. o moich butach na jego podłodze. o mo-
jej ślinie na jego sztućcach.
a jeśli wziął je po to, by móc później oddać?
nie wiem, co robić, więc włączam telewizor. przełączam
bajkę o rycerzu
na jakieś reklamy. przełączam reklamę płynu zwalcza-
jącego całe kolonie bakterii
na film dokumentalny. lektor mówi, że w miejscu wy-
ciętej części lasu
stanie całe osiedle budynków. że z drewna zrobi się meble.

Jesteśmy na imprezie, towarzystwo nie jest najgorsze,
nie bawię się źle, upijamy się trochę, wracamy do domu.
Dzwoni telefon. Mój chłopak odbiera, rozmawia przez
pół godziny. Pytam kto to, on odpowiada, Joanna. Aha,
mówię. Dopiero później zdaję sobie sprawę, że to ta sama
Joanna, która ciągle komentuje posty mojego chłopaka
na Facebooku, to ta, z którą ma wiecznie otwarte okno
czatu. Nie reaguję. Właściwie mu ufam.

idziemy na imprezę i pijemy piwo.
przy drugim piwie spotykamy jego znajomych.
przestaję się odzywać, bo oni mówią. opowiadają.
OPOWIADAJĄ
o swoich aktualnych zajęciach i o swoich przyszłych
zajęciach

*i zapraszają go w różne miejsca. piję więc kolejne piwo
i jeszcze trochę z jego szklanki. kiedy jestem już najebana,
mówię, co naprawdę myślę. pojedyncze słowa.*

Mijają kolejne dni, Joanna wciąż się gdzieś przewija.
Jednego wieczoru wracamy do domu trochę pijani, biorę
telefon mojego chłopaka i chcę zmienić imię dziewczyny
w kontaktach na „głupia zdzira". Klikam na jej imię i pokazuje mi się historia korespondencji. Czytam pierwsze
słowa z kilku ostatnich smsów.

Jaś, powiedz mi coś wesołego, jestem smutna

Jaś, jesteś super

Jaś <3

Dalej nie czytam. Odkładam telefon, nic nie mówię.
Następnego dnia piszę do niej wiadomość:

*Czy mogłabyś dać spokój mojemu chłopakowi? Może
poszukaj sobie swojego. Trochę za często cię widzę i woła-
łabym przestać.*

Dostaję odpowiedź:

;)

Jestem zła na mojego chłopaka. Zaczynam komento-
wać sytuację. Jestem zazdrosna.

Śpimy. Jest 4.00 rano. Dzwoni telefon. On nie odbiera, ale odpisuje na smsa. Mówię, tylko mi nie mów, że to Joanna. On nie odpowiada. Myślę, że to jednak nie ona. Śpię dalej. Budzę się rano i przypominam sobie o tym. Biorę jego telefon i sprawdzam, kto dzwonił. ONA. Czytam smsa. Czytam też kilka poprzednich.

Jeżeli cię męczę, to po prostu powiedz ;)

No co ty. Lubię z tobą gadać. Przepraszam za Dominikę. Co ona ci nawypisywała?

Dostaję szału. Wstaję z łóżka, zbieram z łazienki wszystkie swoje rzeczy. On się budzi, pyta, o co chodzi, skarbeńku. Krzyczę. Płaczę. Chcę wychodzić. W końcu on mnie zatrzymuje. Obejmuje mnie mocno, a ja miotam się w jego ramionach. On mówi, wracaj do łóżka, chodź. Kładę się na łóżku, odwracam się plecami i płaczę. On mówi, no przecież jesteś dla mnie ważniejsza od jakiejś Joanny. Ale czy nie wolno mi już mieć koleżanek? On nie rozumie, nie widzi różnicy między koleżanką a dziewczyną, która go podrywa. W końcu jednak sugeruje, że może ograniczyć z nią kontakty, jeśli mnie to rani. Potem faktycznie ogranicza z nią kontakty i już mnie nie rani.

Mój chłopak jest zaproszony na dyskusję do Sopotu. Zabiera mnie ze sobą. Jedziemy razem pociągiem, pijemy piwo, zawsze pijemy piwo, bo on zawsze je kupuje. Ja piję, bo on pije. On śpi z głową opartą o moje ramię, ja śpię z głowa opartą o jego głowę. W Sopocie mój chłopak bierze udział w dyskusji i jest całkiem zabawny. Potem siedzimy z jego znajomymi i pijemy piwo, i pijemy wódkę. Jego znajomi rozmawiają o filmach, konkursach i książkach. My też trochę rozmawiamy. Trochę się na siebie obrażamy, trochę jesteśmy szczęśliwi. W każdym razie on ciągle trzyma mnie za rękę. Jest dobrze. Jest dobrze.

50

Wracam do domu zmęczona. Telewizor jest włączony. Nie wiem, kto go włączył. Program o gotowaniu. Ręce na ekranie kroją mięso. Przyglądam się. Krótka historia mięsa. Zbliżenie na biegające kaczki. Potem zbliżenie na pieczonego ptaka. Ptak po upieczeniu dostał imię. Nazywa się „kaczka po pekińsku". Ktoś odrywa kaczce po pekińsku nogę. Z pieczonego mięsa nie wypływa krew. Mięso jest jasne i suche. Zastanawiam się, co stało się z krwią, czy ukryła się we włóknach, czy pomiędzy nimi. Zrobiło mi się niedobrze. Idę do kuchni. Zjadam

jedną kajzerkę
osiem pierogów z serem
miskę makaronu z sosem pomidorowym

tabliczkę czekolady
opakowanie jogurtu
pięć plastrów żółtego sera
dwa kotlety sojowe.

Popijam trzema szklankami wody. Czuję się koszmarnie. Mój żołądek jest tak pełny, że nie mogę się wyprostować. Idę do łazienki zgięta wpół. Nie zamykam drzwi. Włączam ogrzewanie i puszczam wodę z kranu. Nie wiem, po co to robię. Wkładam palce do gardła. To nie trwa długo. Mam wprawę. Bardzo dokładnie myję ręce. Myję zęby i długo płuczę usta. Gardło mnie piecze. Wciąż czuję w nim palce. Gaszę światło w łazience i idę do salonu. Siadam w fotelu i wydaje mi się, że jestem głodna. Siedzę w fotelu i myślę o tym, jak bardzo nie powinnam być głodna. Mija kilka minut, a ja nadal siedzę w tej samej pozycji. Bardzo chce mi się pić. Wstaję i wypijam szklankę wody. Potem kolejną. Mam poczucie winy. Wydaje mi się, że zmarnowałam cały dzień. Że zmarnowałam cały czas teraźniejszy i ten kawałek przyszłości, w którym będę jeszcze czuć w gardle palce. Czuję się wobec tego bezradna. Nie wiem, co robić, więc zjadam

pół tabliczki czekolady z orzechami
dwie kanapki z tofu
pół kilograma płatków kukurydzianych z jogurtem
pół słoika nutelli
pół kostki masła
dwie bułki.

Idę do łazienki. Wkładam palce do gardła. Gardło trochę mnie boli. Rzygam tak długo, aż czuję się pusta w środku. Czekam na moment, w którym pojawi się jakaś ulga, ale nic się nie pojawia. Ciągle się boję, że coś jeszcze we mnie zostało. Że nie pozbyłam się wszystkiego, że to niemożliwe. Potem zmywam naczynia. Nie zostawiam śladów.

Czuję, że zmarnowałam cały dzień. Oglądam program o Korsyce. Lektor mówi o górach, które powstały w trzeciorzędzie. Mówi, że na zboczach rosną tymianek i rozmaryn, a tymianek i rozmaryn nadają smak mięsu i mleku jagniąt. Mówi, jeśli u rzeźnika pojawi się sarnina, to znaczy, że mamy listopad.

Boję się, że myśli o rzyganiu wrócą do mnie, więc wychodzę z domu, żeby od nich uciec. Idę do mojego chłopaka. On pracuje, ma słuchawki na uszach i ekran przed oczami, ja czytam książkę z nogami opartymi o poręcz kanapy. Nie rozmawiamy. W końcu on wyłącza komputer. Kochamy się i czuję, jakbym czekała na to cały dzień. Albo nawet dłużej. W ogóle kiedy się kochamy, czuję tak dużo różnych rzeczy, że nie wiem nic o żadnej z nich. Raczej jest mi dobrze. Czasem chcę mu nawet o tym powiedzieć, że jest mi z nim dobrze, ale nigdy tego nie robię. Wiem, że zawsze, kiedy czegoś chcę, wystarczy trochę poczekać, żeby o tym zapomnieć.

51

Czasami myślę w słowach, myślę pełnymi zdaniami, i są to myśli konstruktywne. W tych myślach wszystko sobie tłumaczę, racjonalizuję i usprawiedliwiam. Tymi myślami kocham mojego chłopaka. Reszta myśli jest w głowie pajęczyną. Ledwo ją dostrzegam, a jednak wisi na niej cały ciężar mojego ciała. Pajęczyna myśli jest dla mnie zła. Rzuca podejrzenia. Podsuwa przekleństwa. Pajęczyna podpowiada, jak ranić. Jej nici rwą się i kleją, nie da się ich pozbyć przy pomocy woli.

Większość moich słów to ostrza. Powstrzymuję się od mówienia wszystkiego, co myślę. Dobierając argumenty, muszę mieć na uwadze fakt, że nie chcę, żeby rozmowa była ostatnią, więc w efekcie nie mam argumentów wcale. Każdą dyskusję sprowadzam do absurdu.

Uważam mojego chłopaka za skurwiela. Wiem, że nim nie jest, ale myślę co innego. Sypiam ze skurwielem, który nie ma serca ani w ogóle układu krwionośnego, ma tylko drobne naczynka pod skórą. Nie może krwawić, ból nie może wyglądać na nim jak krew, może wyglądać najwyżej jak siniak. Jestem uzależniona od cierpienia przez mojego skurwiela. Potrzebuję go ranić.

Pamiętam, że w domu kiedyś leżała na telewizorze wielka muszla. Rodzice mówili mi, żebym przyłożyła ją do ucha, a usłyszę, jak szumi morze. Przykładałam muszlę do ucha i słyszałam, jak szumi morze. Ostatnio w lewym uchu słyszę czasami, jak płynie krew i jak bije serce. To brzmi podobnie do morza. Tylko trochę bardziej panicznie. Miarowo. Pośpiesznie. Sama nie wiem. Może po prostu brzmi normalnie, jak każde serce i każda krew.

52

Całe lato przepłakałam.

53

Jego słowa, od których się uśmiecham:

Ciało i serce. A właściwie to już się w tobie zakochałem, żeby wyrazić się bardziej dyplomatycznie.

Kupić ci piwo, skarbeńku?

Co, biedroneczko?

Jestem z tobą, bo jesteś najpiękniejszą, najzdolniejszą i najmądrzejszą dziewczyną, jaką znam.

Jestem z ciebie dumny. Czy to coś zmienia?

Jego słowa, od których płaczę:

Przyjechała moja koleżanka. Chyba nie musimy się dzisiaj spotykać?

Jesteś przecież wyjątkowa. Jestem przecież z tobą na wakacjach. Tylko z jedną dziewczyną poza tobą byłem na wakacjach.

Przecież jesteś dla mnie bardzo ważna. Nie widzisz tego? Tyle dla ciebie robię. Robię ci rano kanapki.

Przez ciebie nie mogę mówić o swoich erekcjach.

Miałem kiedyś Łucję. Dobrze robiła laskę.

To Marta. Mogę cię dla niej rzucić?

54

Z moim chłopakiem odkrywamy nowe wspólne zainteresowanie. On przynosi biały proszek kupiony w dopalaczach, ja się boję, mówię, ale to narkotyki. Ale kiedy widzę, że on naprawdę chce to wciągać, stwierdzam, że przecież to nie może być niebezpieczne. Nie jest. Jest fantastyczne, bo wreszcie jestem w stanie rozmawiać z artystami i bawić się z jego znajomymi, i szczerze z nim rozmawiać. Wszystkie moje najlepsze wspomnienia są związane z narkotykami.

Siedzimy na schodach, puszczamy muzykę z komórki i jesteśmy najszczęśliwsi na świecie i mówimy do siebie takimi słodkimi głosami albo jesteśmy na weselu i idziemy na szybki numerek do pokoju, mówimy sobie kocham cię i kocham cię trochę i pijemy dużo wódki albo tańczymy pół nocy i chodzimy po mieście chociaż pada deszcz i mam mokre buty ale nie czuję tego ani trochę.

55

W lipcu jadę do Adama nad morze. Wychodzi nowy numer kobiecego magazynu, w którym jest wywiad z moim chłopakiem. Kupuję go od razu. W tekście czytam różne rzeczy. Między innymi, że gdyby mój chłopak miał dziewczynę, to byłby jej najlepszym przyjacielem. Jestem wściekła. Okazuje się, że to redakcja zmieniła jego słowa, ale i tak piszę mu, że go nienawidzę i że wcale go nie kocham. Tego samego dnia idę do łóżka z Adamem i myślę, że to, co napisałam, to nieprawda. Ale co z tego.

leżę w łóżku z pięknym blondynem, którego ledwo znam.
leżę w jego pościeli i słucham jak śpi i patrzę jak śpi
na plecach. jego mięśnie śpią tuż pod skórą, mój policzek
jest tuż przy jego ramieniu. bardzo daleko nam do
bliskości.

przysuwamy się do siebie po centymetrze, a potem
panicznie się dotykamy i całujemy jakkolwiek,
byle trafić w to drugie ciało. z każdym kolejnym
pocałunkiem
jestem coraz bardziej zakochana w moim chłopaku.
wcale go nie zdradzam,
w ogóle nie o to chodzi. po prostu leży koło mnie piękny
blondyn,
a noc jest niebieska i bezsenna. jest taka, jakie są noce
po słonecznych dniach. taka, jakie są noce po kilku blan-
tach i butelce wina.

Adam chodzi ze mną za rękę, chodzi ze mną na plażę i pije ze mną piwo, śpi ze mną w pokoju tak małym, że oprócz materaca i biurka nic się w nim nie mieści. I my nie mieścimy się w sobie. Kiedy się kochamy, nie mieścimy się na materacu, kiedy rozlewamy piwo, ono jest wszędzie. W ogóle nie wiadomo, o co chodzi, te ściany są tak blisko siebie, ten pokój jest tak mały, że tworzy między nami bliskość.

Kochamy się jakoś histerycznie, sama nie wiem jak, on kończy, mówię mu, uwielbiam cię. On mówi, ja ciebie też w tej chwili uwielbiam, naprawdę. Następnego dnia wyjeżdżam. Mój pociąg podjeżdża, a Adam mówi, masz piękne obojczyki. Wracam prosto do mojego chłopaka. Idziemy do łóżka, on kończy, mówię mu, uwielbiam cię.

56

Wracam do mojego chłopaka i już nic nie wiem. Mówię, rozstańmy się. On mówi, nie. Mówimy to sobie co jakiś czas. Już wiem, że nigdy z nim nie zerwę. Wiem, że rozstaniemy się dopiero wtedy, kiedy on powie, że teraz.

57

Potrafię już tylko mieć pretensje, pisać długie, rzewne smsy i płakać. Potrafię już tylko czuć wstręt i mieć nadzieję, że będzie jak kiedyś. Potrafię już tylko być zazdrosna i czekać na najgorsze. Nie potrafię się z nim rozstać, nie mam dla siebie miejsca w swoim domu, w jego domu też nie mam dla siebie miejsca, nigdzie nie czuję się bezpieczna, nigdzie tak naprawdę nie chcę być.

nie wrócę, bo
odkąd napisałeś, że mógłbyś mnie kochać
wiem, że byś mógł i to mi wystarczy.
nie rób tego, bo to byłby najdoskonalszy z możliwych błędów.
cokolwiek jest we mnie dobrego – zniknie. zniknie. tego
nie będzie.
życzliwa jestem tylko po narkotykach, wybacz.

nie wiem, o co chodzi z miłością, ale myślę,
że nie chodzi o słowa.
nie wrócę, bo piękno trzeba pokochać, żeby móc go bronić,
a ja nie znajdę w tobie schronienia
dopóki od pięknych kobiet będziesz wolał łatwe.
zostaję, bo jest jeszcze wiele powodów.
i w ogóle nie masz pojęcia.

58

Jedziemy razem na wakacje do Hiszpanii. Mam nadzieję, że jeszcze będzie pięknie. Oboje mamy. Ale nie jest. Nie chce być. Jest ciepło i pięknie, a my uprawiamy dużo seksu. Seks łączy nas na chwilę, na stałe łączy nas żal. Całe dnie spędzamy na plaży, wieczory spędzamy na plaży, pijąc wino, jedyne, co mamy dla siebie, to żal. Zresztą poza żalem niewiele z tych wakacji pamiętam. Może jeszcze to, że kupiłam sobie ray-bany na deptaku. Wyglądają jak oryginalne.

59

Przyjeżdża do mnie Adam. Adam poznaje mojego chłopaka, nie odzywają się do siebie. Siedzimy we trójkę na kanapie, siedzę pomiędzy nimi. Po lewej stronie siedzi mój chłopak, po prawej Adam, kiedy całuję mojego chłopaka, Adam trzyma rękę na moim udzie.

60

Wychodzimy z Adamem na imprezę, wciągamy bardzo dużo, mówimy sobie słodkie rzeczy, on mówi, jesteś cudowna, a ja czuję, że jestem, w tej chwili go kocham, kocham go przez te słowa i przez te narkotyki. Całą noc nie śpimy, cały dzień jesteśmy na koszmarnym zjeździe, Adam próbuje mi coś powiedzieć, a ja nie wiem co, potem zaczyna płakać, a ja nie wiem, jak mam zareagować, więc nie reaguję wcale. W końcu Adam mówi, że jedzie do domu.

61

Przychodzę do mojego chłopaka, sprawdzam Facebooka, idę się wykąpać i kładę się spać. On mówi, nie odezwiesz się do mnie. Mówię, nie, jestem zmęczona, śpię. On mówi, czy jesteś jeszcze moją dziewczyną. Mówię, nie wiem. On mówi, bo chyba już nie chcę, żebyś nią była. I zaczyna płakać. Mówię, ok. On czyta książkę. Potem idziemy spać. Normalnie. Jak zawsze. Dopiero rano dociera do mnie, co się stało, i zaczynam wyć. Krzyczeć. Wiem, że to dla nas dobre, ale jestem przerażona. Zapomniałam, jakie było życie, zanim poznałam mojego chłopaka. Nie wiem, co ze sobą zrobić. Zabieram swoje rzeczy i idę do kawiarni. Kupuję sobie kawę i ciastko i wcale nie płaczę.

62

Nie płaczę cały tydzień. Zaczynają się studia, poznaję dużo nowych ludzi, którzy ani trochę mnie nie interesują. Wszyscy studenci wyglądają tak samo. Nie mają kolorów. Ciągle gadają, chociaż nie mają nic do powiedzenia, wciąż ktoś coś komuś opowiada, chociaż nic nikogo nie obchodzi. Życie studenta to tworzenie kontekstu dla wzajemnego uśmiechania się do siebie.

63

Nie płaczę też w weekend. W weekend jadę do Adama. Cały weekend siedzimy na łóżku i oglądamy telewizję. Po weekendzie wracam i w poniedziałek zaczynam płakać. Płaczę od smutnych piosenek, płaczę ze złości, ze wzruszenia, z nudów. Mam w sobie tyle łez, że gdybym mogła, płakałabym całą powierzchnią skóry.

każda z tych fraz jest wyrokiem, no niestety, ale
obawiam się, że to jest trochę coś takiego jak miłość
i że jej struktury tkwią w nas głęboko, trwałe i spójne,
jedna obok drugiej. ale uważaj, to może być groźba,
to wszystko może się w nas nie zmieścić, może wyjść na
zewnątrz
i skończyć jakoś źle. i co wtedy zrobimy.

o czym będziemy kłamać, a o czym będziemy mówić,
że jest prawdą,
    jeśli o czymkolwiek

    nieprawda adaś że miałam wyłączony telefon kiedy
dzwoniłeś przecież
    ja naprawdę chciałam go od ciebie odebrać
    nieprawda sarenko że jesteś taka śliczna nawet kiedy
wciągasz
    widziałem kobiety które robią się od tego brzydkie ale
    ty taka nie jesteś ty nie
    nieprawda że rozmawiamy ze sobą tylko kiedy jesteśmy
naćpani a poza tym
    nie robimy nic chyba że oglądamy telewizję albo chodzi-
my na plażę bo akurat jest lato

    nieprawda że będę wracać jeszcze dużo razy, a za ostat-
nim wrócę po to, żeby zostać
    to jest wszystko, adam, nieprawda

64

Tygodnie są czekaniem na weekendy, weekendy są samotnym imprezowaniem doprawionym narkotykami i stawianymi przez obcych facetów drinkami. Poznaję dużo beznadziejnych facetów. Nie wiem po co. Nie wiem, czy poprawia mi to humor. W ogóle nie wiem, czy mam jeszcze coś takiego jak humor. Ale może mam. Chyba nawet trzy rodzaje: humor nawciągany, humor na zjeździe i humor rozpaczliwy.

Czasami wciągam w domu, a potem biegam na bieżni. Wtedy nie czuję, jak mocno bije mi serce. Moje serce ze mną nie wytrzymuje. Kiedy wracam nad ranem z imprez, kładę się do łóżka i nie słyszę nic poza wściekłym sercem, nie czuję nic poza zimnym potem i nie widzę nic poza dziwnymi światłami, które wychodzą spod powiek.

65

W jedną z tych rozpaczliwych nocy wracam po imprezie autobusem do domu. Przysiada się do mnie jakiś chłopak. Pijany i przystojny. Mówi, jesteś piękna. Rozmawiamy. Podoba mi się, wyjątkowo. Daję mu numer telefonu. Dzwoni. Umawiamy się. Upijamy się. Całujemy się. Idziemy do łazienki. Zsuwa mi spodnie. To trwa jakieś 20 sekund. Zaczynam płakać. Mówię, to nie tak miało być.

66

Życie nie przypomina niczego, czym było wcześniej. Nie mam żadnych punktów zaczepienia, żadnego rytmu, kładę się spać w niedzielę, a budzę się we wtorek, kiedy nie śpię, kupuję jedzenie, całe siatki jedzenia, połykam całe siatki jedzenia, to jest jedzenie do rzygania. Rozrywam byle jak opakowania, jem szybko, nie gryzę dokładnie, właściwie połykam, popijam kilkoma szklankami wody. Potrafię zjeść na przykład:

mrożoną pizzę
pudełko lodów orzechowych 500 ml
całe ciasto drożdżowe
dwie kajzerki
pół opakowania płatków śniadaniowych

pół litra mleka
paczkę chipsów paprykowych.

Ale pewnie potrafię zjeść jeszcze więcej jeszcze innych rzeczy.

67

Robię tak prawie codziennie i za każdym razem obiecuję sobie, że to ostatni raz. Mam za sobą setki ostatnich razów. I setki złotych wydanych na jedzenie. Są dni, w które mam więcej siły i udaje mi się ze sobą zawalczyć. Zwykle dość dobrze sobie radzę przed południem. Przed południem raczej nie rzygam. Rzadko. Zwykle robię to po południu. Wracam do domu zmęczona i mam siłę już tylko rzygać. To najlepszy relaks, na jaki mnie stać. Rzygam też zawsze, kiedy jestem smutna, zła, zestresowana, nieszczęśliwa, kiedy brakuje mi motywacji i kiedy mam dużo wolnego czasu. Rzygam właściwie zawsze, kiedy akurat nie muszę koniecznie robić nic innego.

68

Mama znowu ma nowego chłopaka. Pierwszy raz ma mężczyznę, który jest jej wart. Tak myślę. Jest silna wobec swojej ogromnej przyszłości. Mówi o nim, to mężczyzna z klasą. I ma rację, chociaż nie wie, co to znaczy. W mężczyźnie klasę mają tylko dłonie. Reszta ciała i wnętrze są rozpaczliwe.

69

Na środkowym palcu prawej ręki zawsze noszę pierścionek. Od kilku lat. Kiedy nie czuję na tym palcu ciężaru, czuję jego brak. Zanim zacznę rzygać, zdejmuję pierścionek i zakładam go na środkowy palec lewej ręki. Żeby go nie ubrudzić. Ten pierścionek to jedyne piękno, o jakie wtedy dbam. Kiedyś zmieniałam miejsce pierścionka na chwilę, zanim zaczęłam wkładać palce do gardła. Teraz robię to już kiedy zaczynam jeść. Gdyby ktoś o tym wiedział, mógłby się zorientować, co to znaczy, kiedy podczas posiłku przekładam pierścionek na lewą dłoń. Kiedy kończę rzygać, najpierw wycieram twarz i płuczę usta. Później zacieram ślady i dokładnie myję ręce. Na koniec zakładam pierścionek z powrotem na środkowy palec prawej ręki. Wszystko wraca na swoje miejsce.

70

Wracam z uczelni. Jest mi gorąco i źle się czuję. Zatrzymuję się koło McDonald'sa. Kupuję:

dwie porcje lodów z kitkatem i karmelem
cztery ciastka jabłkowe
cztery duże porcje frytek
dużą colę.

Zjadam to szybko w samochodzie. Samochód stoi na słońcu, więc robi się w nim bardzo gorąco. Jestem cała spocona. Wychodzę z auta tak najedzona, że ledwo idę z bólu. Wchodzę do toalety, rzygam, kaszlę przy tym głośno, ale już właściwie nie przejmuję się tym, że ktoś może usłyszeć. I co sobie pomyśli? Że ktoś rzyga? A kto czasem nie rzyga po jedzeniu z McDonald'sa? Wychodzę z łazienki lekka i pusta w środku.

71

Koło domu jest tylko jeden sklep spożywczy i tylko do niego chodzę. Pewnie sprzedawcy znają mnie już całkiem dobrze. Wiedzą, że pijemy w domu dużo mleka, że mamy zwierzęta, że raczej nie jemy wędlin, że jemy dużo mrożonek. Wiedzą, jakie palę papierosy i że kupuję ulgowe bilety. Wiedzą pewnie jeszcze więcej, bo czasem pytają o dowód. Wątpię, żeby wiedzieli, co to znaczy, gdy kupuję koszyk słodyczy, chipsów, bułek, ciasta i lodów. Nie mają pojęcia.

72

Nie wiem kiedy i nie wiem dlaczego powoli zaczyna robić się we mnie spokojniej. Wypełniam się czymś, co nie jest bólem. Wracam do siebie i to jest jak wracanie z dalekiej podróży do pustego domu. Albo jak wracanie z nieudanych wakacji. Mogłabym nawet pomyśleć, że wszystko dobrze się skończyło i to samo z siebie, ale to nie byłaby prawda. Bo nic się nie skończyło. Studia są w porządku. Mam przyjaciół. Z przeszłości mało pamiętam, czasem sobie tylko o niej przypominam, ale czuję, jakby należała do innej osoby. Jestem szczęśliwa. Przeszłość jest moją wielką blizną, którą pielęgnuję. Myślę, że moja bulimia to nie są zaburzenia odżywiania. Jestem pogodzona z moją bulimią. Wierzę, że kiedy zwymiotuję już całą przeszłość, ona po prostu się skończy.

73

Byłam na spotkaniu z Hertą Müller i pamiętam, że wydawała mi się bardzo podobna do mnie, uśmiechała się ciągle, a każdy jej ruch był rozpaczliwy i ciężki. Jej oczy błyszczały jakby były ze szkła, widziałam to nawet z ostatniego rzędu. Pamiętam też, jak powiedziała: dla mnie moja biografia jest normalna.

74

Z dnia na dzień zachodzi fantastyczna zmiana. Magiczna. Zaczynam jeść w towarzystwie, jedzenie przestaje być dla mnie intymnym rytuałem, nie wstydzę się już jedzenia. Dwa ciepłe posiłki dziennie. Jem, aż poczuję sytość, potem przestaję. Jem, kiedy jestem głodna, czyli mniej więcej trzy razy dziennie. Kiedy zjem, jestem najedzona i muszę odpoczywać. Kiedy zjem trochę za dużo, mój organizm przypomina mi, co robić. Ale ignoruję go. Chyba wszystko odbywa się tak, jak powinno. Naturalnie. Czy jakoś tak.

Ktoś mi kiedyś powiedział, że niektórzy ludzie mają w sobie taki mechanizm, który dokładnie w momencie, w którym upadają bardzo nisko, mówi im, że pora przestać, że czynność, która ciągnie na dno, jest nudna i bezsensowna. Może mam w sobie taki mechanizm. A może to coś zupełnie innego.

75

Odkąd jestem szczęśliwa, nie potrzebuję byle jakich romansów, zresztą nie potrzebuję żadnych, ale wciąż cenię sobie te, o których można potem myśleć z uśmiechem albo z zamkniętymi oczami. O których można potem marzyć. Mój ulubiony romans to romans z pisarzem starszym ode mnie o dziesięć lat. Z całkiem dobrym pisarzem. Poznaliśmy się przypadkiem. Znalazłam kiedyś książkę podpisaną jego nazwiskiem, on chciał ją odzyskać, ja nie chciałam jej oddać. Powiedziałam, nie oddam jej. On powiedział, wcale nie chciałem o to prosić, gdybyś tylko mogła poczytać mi na głos.

Spędziłam u niego kilka wieczorów. Pierwszy raz przyszłam w sylwestra. Chciałam, żeby był moim *before party*. Miałam dla niego dokładnie godzinę. Tyle, żeby zdążyć wciągnąć po kresce i coś od tego poczuć.

Wcale mi się nie podobał. Ale uwielbiałam jego głos, taki łagodny, zawsze mówił do mnie tak cicho i pięknie, że chciałam do niego wracać, chociaż ciężko nam się rozmawiało. On chciał słyszeć o mnie, ja nie chciałam mówić o sobie. Kiedy siedziałam na jego materacu, robił mi zdjęcia. Brutalnie mnie oswajał. Kiedy wychodziłam na korytarz, robił mi zdjęcia, jak zakładam buty. Pytałam, po co to robisz, przestań. Odpowiadał, żeby jutro pamiętać, co się działo.

Jeden raz przyszłam do niego nad ranem po imprezie. Powiedziałam, tylko zapomnij o seksie. Zapomniał. Leżałam w jego łóżku taka piękna i oglądałam film, a on odwrócił się ode mnie plecami i spał. Albo udawał, że śpi.

Raz napisałam do niego: „Mogę przyjść? Chciałam pogadać. Mam narkotyki". Przyszłam. Malowałam się w łazience, a on patrzył. Mówił o swojej pracy, lubiłam o tym słuchać, w ogóle lubiłam go słuchać, chociaż on myślał, że jest odwrotnie. Potem piliśmy wódkę. A potem zaczęliśmy się całować i powiedziałam, zabierz mnie do sypialni, i on mnie zabrał, i położył mnie na łóżku, a ja powiedziałam, jestem za mało pijana, jak jestem pijana, to jestem fajniejsza. Ale chyba byłam wystarczająco fajna. Albo może nie byłam. Tak czy inaczej, miałam najlepszy seks w życiu. Rano po moim udzie ciekła krew ze spermą.

Innym razem przyszłam pijana, przelewałam się przez ręce. Był środek nocy, on rozmawiał z kolegami o pracy, potem koledzy sobie poszli, a ja piłam piwo, które zostawili, a on grał na konsoli w jakąś niezrozumiałą grę. Chciałam się chyba do niego przytulić, ale powiedział, uspokój się, i powiedział, jak musisz, to możesz spać u mnie, ale na materacu w pokoju, muszę się wyspać, rano przychodzi moja córka, to nie moja wina, że się upiłaś. Spałam na materacu w pokoju, rano wyszłam bez słowa.

Wróciłam po kilku miesiącach. Chyba po czterech. Wróciłam z butelką niezłej whisky, którą kupiłam wcześniej w jakimś supermarkecie w promocji za 44,90. Usiadłam na materacu, chociaż były krzesła, on powiedział, usiądź sobie, i zaczął rozkładać blendę, a ja spytałam, co to jest, bo akurat zapomniałam, i powiedziałam, przecież siedzę, przyzwyczaiłam się do siedzenia na podłodze, to moje miejsce u ciebie. Whisky było coraz mniej, a my byliśmy coraz bliżej, spytałam, czemu kazałeś mi wtedy spać na materacu, on powiedział, myślałem, że było ci to wtedy potrzebne. Nie miał racji, ale w tamtym momencie to wszystko było nieważne, on powiedział, chodź tu, pocałuj mnie, i ja przyszłam, i włożyłam w ten pocałunek więcej emocji niż w jakąkolwiek czynność związaną z drugim człowiekiem, jaką w tamtej chwili mogłam sobie przypomnieć. Złapał mnie za włosy, a ja powiedziałam, nie szarp mnie, a potem powiedziałam, albo ok., możesz mnie szarpać, i on to robił, a ja spytałam, a twoja dziewczyna, a on powiedział, ona przyjdzie dopiero za godzinę.

Ile razy wracałam – nie pamiętam. Ile razy jeszcze wrócę – nie wiem.

Trudno mi tylko ocenić, jak kończą się dobre romanse. Takie, od których jest się szczęśliwszym. Chyba nie kończą się wcale, one tylko zmieniają formę. Zmniejszają się i łagodnieją.

Aha – na jego zdjęciach wyszłam śliczna.

76

Niedawno obudziłam się rano ze spuchniętym okiem. Oko w lustrze było czerwone, jakby pękły w nim wszystkie naczynka. Łzawiło. Bolało coraz bardziej. Po kilku godzinach właściwie nie mogłam go już otworzyć. Napisałam do przyjaciółki, co robić. Odpisała, ładnie się umalować, nic nigdy tak bardzo nie boli, żeby znowu nie mogło być piękne.

Bolało jeszcze bardziej, ale przecież nie ma piękna bez walki. Nie ma estetyki bez agresji. To też gdzieś słyszałam.

77

Ostatnio znalazłam w torbie jakąś kartkę, to był kwestionariusz z zajęć z psychologii. W pytaniu: „Czy lubisz ranić ludzi, których kochasz?", zaznaczyłam odpowiedź: „Często". To było pytanie 31.

Codziennie czuję, jak między żebrami rośnie mi serce. Odrasta. W miejscu, w którym kiedyś pękło, przyschły już brzegi rany.

Dotychczas w Serii Literackiej ukazały się:

Zapowiedzi:

Jesienią 2011 roku grupa protestujących rozbiła niewielki obóz na Manhattanie. Nikt nie spodziewał się, że przerodzi się on w globalny ruch sprzeciwu. Hasło „99 %" stało się symbolem systemu, który służy tylko i wyłącznie 1% – wąskiej, horrendalnie uprzywilejowanej grupie – zamiast nam wszystkim.

Occupy! Sceny z okupowanej Ameryki to reportaż z pola walki i eksperymentu społecznego, w którym idea przekłada się na konkretne działania. Tu i teraz. We are 99%!

Nie musisz być anarchistą, nie musisz być kimś, kto chce rozpieprzyć państwo, żeby mieć sympatię do tego punktu widzenia.
Thom Yorke

Nie ma już bogatych krajów, są tylko bogaci ludzie.
Naomi Klein

Nie zdawałem sobie sprawy, że będzie to coś, czego przeznaczeniem będzie trwać bez końca. Jest to coś samowystarczalnego, coś co łączy ludzi z innymi ludźmi. Coś pięknego.
Talib Kweli

Coś jest nie tak ze światem, w którym obiecują ci nieśmiertelność, ale nie mogą wydać trochę więcej pieniędzy na służbę zdrowia.
Slavoj Žižek

Premiera: lipiec 2012

Czy Andrzej Wajda zamierzał zrobić film o homomiłosnej akcji pod Arsenałem? Kim był brat „Wampira z Zagłębia" i jaki miał wpływ na przebieg słynnego procesu z lat 70.? Dlaczego tak mało wciąż wiemy o akcji „Hiacynt"? Gdzie są „różowe teczki"? Dlaczego Barbara Skarga bała się lesbijek? Jak warszawska „Kultura" żartowała z HIV? Do czego klucz kryją powieści sensacyjne z serii „Jamnik"?

Książka Krzysztofa Tomasika to kopalnia wiedzy na temat homoseksualizmu w PRL i konstruowanych wokół niego opowieści. Autor wertuje reportaże, zapomnianą literaturę, akta spraw sądowych, wypowiedzi autorytetów i polityków, pamiętniki i listy. Śledzi ów niezbadany dotychczas dyskurs i daje nam wgląd w sprawy, o których nie pisali literaturoznawcy, historycy ani badaczki kultury.

Krzysztof Tomasik (1978) – publicysta, biografista, badacz polskiego homoseksualizmu. Autor głośnej książki *Homobiografie. Pisarki i pisarze polscy XIX i XX wieku* (2008), redaktor zbioru PRL-owskich reportaży *Mulat w pegeerze* (2011).

Premiera: czerwiec 2012

Dominika Dymińska, *Mięso*
Warszawa 2012

© Copyright by Dominika Dymińska, 2012
© Copyright for this edition by Wydawnictwo Krytyki Politycznej, 2012

Wydanie I

Printed in Poland

ISBN 978-83-62467-67-9

Redakcja: Marta Konarzewska
Korekta: Magdalena Jankowska

Projekt okładki: Poważne Studio
Układ typograficzny i łamanie: RZECZYOBRAZKOWE.PL

Druk i oprawa: opolgraf www.opolgraf.com.pl

Wydawnictwo Krytyki Politycznej
ul. Foksal 16, p. II
00-372 Warszawa
www.krytykapolityczna.pl
redakcja@krytykapolityczna.pl

Seria Literacka, t. XVI